GÉOPOLITIQUE
DE L'APOCALYPSE

Frédéric ENCEL

GÉOPOLITIQUE
DE L'APOCALYPSE

LA DÉMOCRATIE À L'ÉPREUVE
DE L'ISLAMISME

FLAMMARION

© Flammarion, Paris, 2002
ISBN : 2-08-080066-3

Je tiens à remercier chaleureusement Me Karine Rozen-blum pour ses conseils précieux, Monique Labrune pour sa confiance renouvelée, Petit Fruit pour sa patience et sa disponibilité, et Benjamin, naturellement.

Je dédie cet ouvrage aux femmes musulmanes victimes de l'obscurantisme islamiste.

« Que celui qui le veut croie donc, et que celui qui le veut reste incrédule »

Coran, XVIII, 29.

« L'initié contrôle les forces dont pâtit le mystique. »

Umberto Eco, *Le Pendule de Foucault.*

En préambule

Ce modeste ouvrage est le fruit à la fois d'une volonté professionnelle et d'un sentiment de révolte.

La volonté procédait de mon métier, celui de transmettre des connaissances, un enseignement, en proposant, avec quelque recul, une analyse objective du cataclysme du 11 septembre 2001, de sa nature et de ses conséquences potentielles ou prévisibles, des deux mois de campagne d'Afghanistan qui suivirent presque immédiatement, prolongés de coups de force et d'affrontements sporadiques au cours du printemps 2002. L'ensemble devait être traité dans un cadre exclusivement géopolitique à l'aide des outils conceptuels performants – notamment celui des *représentations* – transmis par mon maître en géopolitique Yves Lacoste[1]. Au fond, il s'agissait de rédiger un travail d'universitaire comme ceux que j'avais déjà consacrés aux conflits du Moyen-Orient.

Sur le plan professionnel, le sujet s'annonçait passionnant en raison des questions nouvelles qu'a soulevées le

1. Lire notamment son premier ouvrage géopolitique intitulé *La Géographie, ça sert d'abord à faire la guerre*, Maspero, 1976, et consulter le *Dictionnaire de géopolitique*, Flammarion, 1994.

drame et auxquelles j'ai tenté, pour certaines, d'apporter humblement quelques éléments de réponse. En premier lieu et en amont, qu'en est-il réellement de l'hyperpuissance américaine ? N'incarne-t-elle pas l'un de ces « géants aux pieds d'argile », selon l'expression fréquemment employée dans nos livres d'Histoire ? Sur quel socle de sable se dresse donc cette puissance hégémonique regorgeant – nous dit-on – de matières premières, de soldats, de dollars et de bombes atomiques, si quelques hommes pitoyablement armés peuvent frapper en son cœur économique et militaire ? En second lieu, comment expliquer, la tête froide et une fois tout *pathos* écarté de la table d'atelier, le contexte et l'origine spatiale et temporelle de l'idéologie qui poussa à cet assassinat collectif, ainsi que les stratégies, les objectifs, la détermination de ses auteurs ? À qui la faute ? À l'islam comme religion ou civilisation ? À l'islamisme radical, fanatisme dévoyant l'islam ? À un malaise plus spécifiquement arabo-musulman ?

En aval de la tragédie : *quid* de la fameuse « option zéro mort » ? Les Américains croiraient-ils pouvoir châtier leurs bourreaux d'un jour, retranchés au fond d'une lointaine géographie qui « sert d'abord à faire la guerre », avec leur seule force de frappe aérienne ? Comment mèneraient-ils campagne au cours de cette guerre qui s'annonçait d'un genre nouveau (mais fut-elle au fond si iconoclaste que cela ?) sans intervenir « sur zone » – selon la formule des militaires et des stratégistes – avec des troupes au sol ? Quel rôle revenait à l'ONU si Washington ne prenait même plus la peine – contrairement à ce qu'elle fit en 1990 contre Bagdad, par exemple – de se draper des oripeaux de la légalité internationale dont elle influence en outre l'interprétation et l'esprit ? Et l'Europe alliée, convoquée par le biais de l'OTAN, se bornerait-elle désormais *ad vitam aeternam* à son statut officieux de suiveur, critique certes, mais en définitive assez obéissant, et ne recueillant que rarement les fruits politiques et économiques des résolutions de crise obtenues sabre au clair par la superpuissante Amérique ? Quelles conséquences géostratégiques pour la Chine, la Russie, les États arabes, l'Asie centrale ? Quelle influence sur le conflit israélo-palestinien, sur celui en cours en Tchétchénie, sur la rivalité entre l'Inde et le Pakistan ? Et tant d'autres interrogations encore, certaines sempiternelles, plus philosophiques aussi : les droits de l'Homme doivent-ils pouvoir bénéficier aussi à des criminels de masse et à leurs complices ? Existe-t-il des guerres justes, et si oui, celle menée contre le terrorisme en est-elle une ? Y a-t-il un droit ou un devoir d'ingérence lorsqu'un régime politique officiellement considéré comme « barbare » martyrise les femmes ? La morale dans les relations internationales peut-elle se dégager des rapports de forces bruts ?

Au final, une analyse de géopolitique et de géostratégie classique et objective. Tel était mon projet initial.

Mais, dans le même temps, vraisemblablement dès les premiers commentaires au soir du massacre, j'ai éprouvé un sentiment de malaise puis de révolte, qui n'a cessé d'enfler à mesure que les inepties et les élucubrations écrites ou prononcées se multipliaient. Les Twin Towers s'étaient à peine effondrées que déjà tout ce que les salons parisiens comptent de contempteurs psychopathologiques des États-Unis poussaient de jouissifs et revanchards : « À qui profite le crime, sinon aux Américains et à leurs alliés ? », « il n'y a pas de fumée sans feu ! » et autres odieux « les Américains l'ont bien cherché ! ». Comme si les personnels du World Trade Center et les passagers des avions détournés s'étaient substitués – tout en l'incarnant – au « mal » américain, « expiant » ainsi pour le culte du dollar-roi, le sort des Apaches, les McDonald's et l'hyperpuissance militaire honnis, eux, des civils sans armes et, pour l'immense majorité, sans fortune… Victimes propitiatoires, sacrificielles ? De même, combien de fois ai-je entendu, y compris dans des cénacles de prestige, ce type de sentences interrogatives ruisselantes de commisération : « Peut-on reprocher à ces jeunes gens leur courage de se donner la mort pour un monde meilleur ? » On plaint donc le suicidé, faisant l'impasse sur sa joie morbide et mystique, mais on omet tous ceux qui n'avaient pas nécessairement choisi ce sort. Dernière traduction en date de cette américanophobie primaire : l'affirmation aberrante d'un maître polémiste sans scrupule selon laquelle aucun avion de ligne américain ne se serait écrasé sur le Pentagone le 11 septembre 2001 !

La compassion ne tient certes pas lieu d'analyse, et je suis le dernier à laisser l'angélisme et la « guimauve adolescente [2] » biaiser une réflexion de type géopolitique. Ce qui m'a révolté et m'exaspère encore – davantage que le manque d'égard chez certains « observateurs » pour ces milliers de personnes de toute religion, y compris des musulmans, issues de soixante et onze nationalités différentes assassinées en quelques instants –, c'est la malhonnêteté intellectuelle ambiante dans l'explication de ce qui s'apparente, en droit international, à un authentique crime contre l'humanité, et, plus encore, la lâcheté qui en est simultanément

2. L'expression est d'Alexandre Adler : « Israël-Palestine, les chemins d'une autre paix », *Le Monde*, 9 novembre 2001.

cause et conséquence face à un nouveau totalitarisme. Si une réflexion sérieuse peut tout à fait s'attacher à la compréhension d'un contexte qui a pu favoriser tel crime, nulle explication ne permet de le justifier, l'excuser. La philosophe Monique Canto-Sperber l'exprimait clairement quelques semaines seulement après la tragédie : « D'abord la réticence à définir l'acte indépendamment de la situation sociale ou historique où se trouve celui qui l'a commis. On dit alors que le lynchage, l'assassinat aveugle, quand ils sont perpétrés par ceux qui sont ou se présentent comme opprimés ou victimes, ne peuvent être décrits de la même façon que lorsqu'ils sont commis par ceux qu'on désigne comme oppresseurs. On parlera, dans un cas, d'un lâche assassinat ou d'un crime impérialiste et, dans l'autre, d'une révolte bien explicable ou de l'expression légitime du désespoir. Mais c'est là une perversion de l'intellect. Aucune explication par les causes sociales ou psychologiques, aucune explication par le but, ne peut modifier la qualification morale de ce qu'est l'acte de lyncher ou de tuer. Quelle que soit l'appréciation d'ensemble qu'on porte sur une situation de conflit, dissoudre l'acte terroriste dans son contexte, c'est faire passer une explication par une justification subreptice[3]. »

Or il n'aura pas fallu quelques heures pour que des liens historiques et politiques plus ou moins absurdes, plus ou moins obscènes, soient établis en guise d'explication : le précédent des kamikazes japonais de la Seconde Guerre mondiale ; le soutien de George W. Bush à Ariel Sharon ; le mépris des riches à l'endroit des pauvres, etc. Autant de rapprochements au mieux ineptes (lorsqu'ils sont avancés de

---

3. « Injustifiable terreur », *Le Monde*, 4 octobre 2001.

bonne foi), quand ils ne sont pas idéologiques. Dans le pire des cas, on recherche à tout prix intellectuel l'argument qui permettra de dédouaner les assassins de ce 11 septembre 2001, d'éviter de comprendre, et par conséquent d'affronter, leur idéologie apocalyptique. Leur trouver des circonstances atténuantes consiste en définitive à céder au fameux syndrome de Stockholm, ce phénomène psychique qui pousse l'otage à soutenir ses ravisseurs dans ses revendications, y compris parfois face aux forces de l'ordre venues le libérer. Justement : certains acteurs de la vie politique ou culturelle dans nos sociétés européennes – et au sein de la société française en particulier – ne deviendraient-ils pas les otages d'un « politiquement correct » spécifique à l'islamisme ? Un phénomène d'autocensure dont le mécanisme serait psychologique – ceux qu'on se représente comme des victimes, les musulmans, ne peuvent en même temps incarner des bourreaux –, mais aussi idéologique – aversion tiers-mondiste et/ou marxisante de tout ce que représentent les États-Unis et parfois, de manière plus générale, l'Occident. Avec, de temps à autre, une forme caractérisée de haine de soi, le mécanisme devient alors véritablement ambivalent.

Mon projet originel s'est ainsi enrichi d'un engagement que je qualifierais, plus que jamais après l'avertissement sans frais donné à l'occasion du dramatique scrutin présidentiel d'avril 2002, de citoyen et de républicain. Le produit de cette volonté croisée à ce sentiment de révolte est donc un ouvrage sans prétention, analytique mais engagé, engagé mais analytique, dont j'espère qu'il contribuera à démonter les mythes justificateurs qui permettent d'accabler les États-Unis après le 11 septembre au profit des coupables réels, et à combattre vigoureusement cette atmosphère délétère – certains diront munichoise – qui se répand face à ce nouveau totalitarisme qu'est l'islamisme radical[4]. À l'instar des fascisme et stalinisme de naguère, il doit être pourfendu, sans amalgame avec la pratique traditionnelle et pacifique de l'islam, mais sans faux-fuyants ni complaisance. En France, il en va de la cohésion nationale et, comme dans l'ensemble des États démocratiques, de la pérennité des libertés. Et pour des millions de musulmans d'Orient ou d'Occident qui refusent l'obscurantisme, c'est affaire de sauvegarde…

4. Plutôt qu'intégrisme ou fondamentalisme, j'ai choisi d'employer – à l'instar de Bruno Étienne, dont les arguments sont à cet égard convaincants – le terme d'« islamisme radical » pour évoquer l'utilisation politique de l'islam à des fins d'hégémonie, notamment par des voies violentes. *Les Amants de l'Apocalypse,* Éditions de l'Aube, 2002. Voir également la définition d'Antoine Basbous : « C'est la qualité du musulman qui va au-delà de la pratique religieuse et de la piété et qui fait du militantisme, voire du prosélytisme, dans le but non dissimulé de conquérir le pouvoir politique. L'islamiste est un musulman qui prône ou pratique le recours aux armes […] », *L'Islamisme, une révolution avortée ?,* Hachette, 2000, p. 11.

Première partie

CE QUE NE FUT PAS CE 11 SEPTEMBRE 2001

Dora : « Ouvre les yeux et comprends que l'Organisation perdrait ses pouvoirs et son influence si elle tolérait, un seul moment, que des enfants fussent broyés par nos bombes. »

Stephan : « Je n'ai pas assez de cœur pour ces niaiseries. Quand nous nous déciderons à oublier les enfants, ce jour-là, nous serons les maîtres du monde et la révolution triomphera. »

Albert Camus

« Tout homme qui méprise sa vie est maître de la tienne. »

Sénèque

Beaucoup a été dit et écrit pour qualifier ce qui s'est produit en septembre 2001 aux États-Unis. Des spécialistes de grand talent issus de diverses disciplines universitaires ont offert des interprétations sérieuses du drame. Même ceux, moins inspirés, qui avaient doctement prédit, quelques années auparavant, la fin du terrorisme de masse, y sont allés de leurs commentaires[5]. Il appartiendra aux historiens, dans quelques décennies, de mettre en perspective l'événement. Mais pour un certain nombre d'analyses objectives et rationnelles, combien d'affirmations erronées, ineptes ou de nature polémique et idéologique ? Pléthore, qui s'ins-

---

5. Ainsi cette superbe prophétie de Pascal Boniface retrouvée par *Le Canard enchaîné*, 19/26 septembre 2001 : « Messieurs les experts, tirez les premiers », dans un ouvrage intitulé *Les guerres qui menacent le monde*, Éditions du Félin : « Je ne crois guère au développement d'un terrorisme de masse. Jusqu'à présent, le recours aux attentats a causé un nombre de victimes bien inférieur à tout autre conflit avec des résultats politiques forts. Le terrorisme a donc un "effet de levier" important qui lui permet, avec peu de moyens, d'obtenir des résultats. Sa force de nuisance réside plus dans le fait qu'il peut toucher n'importe qui que dans le nombre de victimes. Je ne pense donc pas, contrairement à certains, que nous verrons des actes terroristes entraînant des milliers de victimes. »

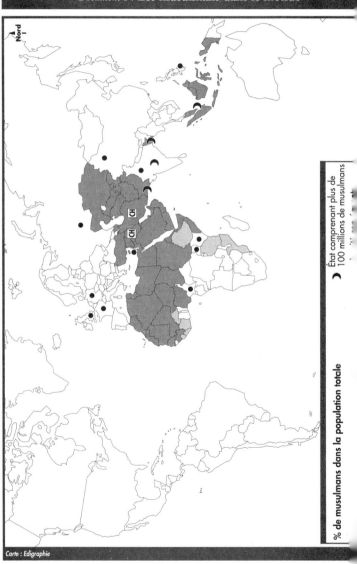

% de musulmans dans la population totale

État comprenant plus de
100 millions de musulmans

Carte : Edigraphie

crivent dans trois types d'interprétation : ce qui ne s'est pas passé le 11 septembre 2001, c'est, premièrement, une opération « kamikaze » ; deuxièmement, une riposte au soutien de George W. Bush à Ariel Sharon contre les Palestiniens ; troisièmement, une offensive des déshérités contre les nantis dans la guerre imposée par ces derniers. Comme le disait Albert Camus, « mal nommer les choses, c'est ajouter aux malheurs du monde ».

A. *Du mythe « kamikaze » à la réalité islamiste*

Il n'est de meilleur moyen pour mal comprendre un phénomène que de mal le nommer. Et lorsqu'on cherche sciemment à en diminuer le caractère nocif ou négatif, il convient de le rebaptiser d'un terme plus neutre, voire valorisant. Le terme de « kamikaze », employé à outrance pour désigner les pirates de l'air du 11 septembre, correspond parfaitement à cette logique. On rappellera plus loin qui étaient réellement les « kamikazes », leurs méthodes d'action, leurs représentations, le contexte militaire dans lequel ils agissaient. Pour l'heure, bornons-nous à observer la réalité de ce que dissimule ou édulcore ce type de termes inappropriés.

1. *Dévoiement sémantique*

Le « terroriste », sous toutes les latitudes, est condamné unanimement et sans retenue. Lorsque l'Iran des mollahs dénonçait le régime taliban comme « terroriste » (ce qui ne manquait pas de sel !), il s'agissait d'une condamnation sévère et dénuée d'ambiguïté. Que le Conseil de sécurité des

Nations unies adopte une résolution qualifiant de « terroriste » une initiative militaire, une politique gouvernementale, ou même la nature d'un régime, et aucune place ne sera
laissée au contresens diplomatique ni au doute. À des observateurs condamnant le terrorisme de certains groupes revendicatifs armés d'autres rétorqueront que ces groupes ne font
que combattre un « terrorisme d'État ».

Dans les années 1970, le terrorisme se définissait fréquemment, et en général sans plus de précisions, par un
« ensemble d'actes de violence commis par des groupe-
ments révolutionnaires », sous-entendu également à l'encontre de cibles militaires[6]. Aujourd'hui, la définition
est moins extensive, et son champ sémantique s'est rétréci
au profit de la notion antinomique, et de valeur morale
proportionnellement inverse, de « résistance ». Le *Petit
Larousse 2000* propose en effet : « Ensemble d'actes de violence (attentats, prises d'otages, etc.) commis par une organisation pour créer un climat d'insécurité, pour exercer un
chantage sur un gouvernement, pour satisfaire une haine à
l'égard d'une communauté, d'un pays, d'un système. »
Courageux, Elias Sanbar, le directeur de la *Revue d'études
palestiniennes*, Palestinien lui-même, donnait récemment –
à propos des attentats-suicides perpétrés au cœur des agglomérations d'Israël – sa propre définition de l'acte terroriste :
« Toute opération armée qui tue aveuglément des civils[7]. »

Au fond, le concept de terrorisme est devenu un lieu
commun universel pour désigner l'usage d'une violence

---

6. Dictionnaire *Petit Larousse illustré*, 1974. D'autres définitions intéressantes sont proposées par le chercheur Jacques Tarnéro dans son
ouvrage *Les Terrorismes*, Milan, 1997.

7. Plateau de Laurent Bazin, *LCI*, 3 avril 2002.

inexcusable, moralement et juridiquement répréhensible, consistant à frapper des innocents. À l'aune de ces définitions, que sont les auteurs des attentats du 11 septembre ? Des terroristes, bien entendu, ayant prémédité un assassinat collectif. Ni plus ni moins. Mais pour une certaine « bien-pensance », évoquer les « terroristes » d'Al-Qaïda, n'est-ce pas porter *a priori* un jugement moral et éventuellement hâtif sur leurs motivations ? N'est-ce pas les déshumaniser, eux qui furent sans doute poussés par le désespoir ? N'est-ce pas trahir la sacro-sainte objectivité nécessaire à l'approche de tout conflit ? Et de poursuivre : c'est bien un conflit qui éclata dans l'un des avions-missiles, et il y a bien conflit entre les États-Unis et d'autres pays, d'autres cultures. Les vols 11 d'American Airlines, 93 d'United Airlines, 77 d'American Airlines et 175 d'United Airlines ne comprenaient pas de terroristes, seulement des « kamikazes » d'un côté, des Américains de l'autre. Alors pourquoi prendre parti, puisque de toute façon tous ont connu ensemble une fin affreuse ?... Lu et entendu, en substance, à maintes reprises. Voilà comment on assassine une seconde fois les véritables et uniques martyrs du drame : les passagers des vols, les personnels du Pentagone et les milliers de gens qui se trouvaient dans les Twin Towers. Car si l'acte des auteurs des attentats ne relevait pas vraiment du terrorisme, alors c'est l'innocence des victimes qui est remise en question...

On a donc fait des pirates de l'air – à l'instar des islamistes du Hamas ou des Tigres tamouls se faisant exploser parmi les civils respectivement à Jérusalem et à Colombo – des « kamikazes ». En dénonçant cette appellation comme impropre, je n'entends pas intervenir de façon tatillonne sur un aspect très formel du débat, sur un point sémantique de moindre importance. S'il convient d'être précis, c'est que les enjeux politiques, moraux et intellectuels me semblent à cet égard fondamentaux.

Le kamikaze originel – en réalité le *kami-kazé*, qui signifie « force du vent » – est un pilote de chasse japonais de la Seconde Guerre mondiale, engagé directement contre les forces américaines dans le Pacifique entre novembre 1944 et avril 1945. Sa mission consiste à projeter son appareil bourré d'explosifs contre un bâtiment de guerre de l'US Navy. En vérité, une seule et unique similitude rapproche le terroriste islamiste contemporain du kamikaze nippon : la certitude quasi absolue de mourir dans l'opération. Mais deux différences tout à fait essentielles les distinguent par ailleurs.

La première est d'ordre moral. Le kamikaze s'attaquait à des militaires, à des hommes armés, entraînés, équipés, aguerris comme peuvent l'être des soldats en campagne. Au World Trade Center n'évoluaient que des civils. Pas même des colons ou occupants – objectifs ou supposés – d'un territoire disputé. Seulement des hommes, des femmes et des enfants ordinaires. Depuis les puissants cuirassés américains et autres porte-avions visés par les kamikazes, de multiples bouches à feu entraient en action pour tenter de détruire l'appareil kamikaze avant qu'il se fût écrasé et, lorsque celui-ci touchait (rarement) sa cible, les blindages pouvaient éventuellement constituer une protection pour les marins. Les victimes du 11 septembre ne disposaient d'aucun moyen de défense de quelque sorte que ce soit. Là réside la nuance théorique et l'abysse empirique entre un acte de guerre et un crime contre l'humanité.

La seconde différence tient à la dimension rationnelle, pragmatique, réaliste de la tactique kamikaze ; décidée par l'état-major d'un État en guerre ouverte contre un autre État, elle visait à rééquilibrer un rapport de forces militaires, devenu défavorable, par la destruction à « faible » coût humain et militaire du fer de lance de la puissance offensive ennemie, soit les principaux navires américains. Nulle apocalypse ne sous-tendait cette geste, pas de Texte sacré pour la légitimer, point de diatribes racistes, antisémites, antichrétiennes vociférées sur la foi d'une interprétation eschatologique, aucune tentative de participer à une mythique « mère de toutes les batailles » en y impliquant à peu près toute l'humanité ; il s'agissait d'une décision cynique et meurtrière, certes, mais d'essence nationaliste et rationnelle à un moment donné d'une confrontation militaire. Avant les lourds revers nippons de la fin 1944, on ne trouve pas trace d'opérations kamikazes.

Enfin, les *représentations* de l'acteur sont fort différentes. Certes, le kamikaze japonais défendait âprement l'honneur de la patrie et acceptait (devant ses officiers du moins) de se sacrifier pour le culte de l'empereur. Mais, en dépit de l'ordre donné par la hiérarchie militaire et de son acceptation du sacrifice, il s'envolait vers la mort la peur au ventre, puissamment sanglé par son supérieur de crainte qu'il ne cherche à s'éjecter avant sa mission. Les quelques témoignages des rarissimes survivants sont à cet égard éloquents : pas de béatitude ni de visage extatique à l'idée de retrouver soixante-dix vierges au paradis des « martyrs » pour l'éternité, point de *vade-mecum* indiquant comment se raser et se parfumer dans une perspective apocalyptique. Le shintoïsme ne se prête guère à de telles interprétations, et moins encore à ce genre de dispositif scénographique[8].

8. Sur les représentations populaires, nationales et mystiques des *kami-kazé* par rapport aux « kamikazes » musulmans, Raphy Israeli, *Terrorism and Political Violence*, vol. 9, Frank Cass Ed., Londres, 1997, p. 96-121.

2. *Les* Hashashin : *véritables ancêtres de la terreur islamiste*

Plutôt donc que d'aller puiser dans la geste nippone des similitudes avec le terrorisme islamiste contemporain, on devrait en rechercher la nature profonde et les méthodes bien plus loin dans le temps et dans des espaces moyen-orientaux. Ainsi découvrirait-on que les « Oussama ben Laden » disposent incontestablement, en la personne d'Hassan ibn Saba, sinon d'un ancêtre spirituel du moins d'un précurseur en terrorisme infiniment plus authentique et lointain que le général Tojo, quand bien même cet ancêtre s'inscrirait dans un corpus polymorphe plus occidental que musulman, et largement légendaire[9].

À la fin du XIe siècle de l'ère chrétienne en effet, la secte schismatique ismaélienne des *hashashin* naît du charisme et de la détermination de ce fondateur de doctrine, ami du grand poète Omar Khayyam selon la légende, qui parcourt d'abord la Perse, la Mésopotamie, l'Azerbaïdjan, le Levant et l'Égypte afin de rallier des opposants à la mainmise de l'empire turc seldjoukide sur la région. Expulsé une pre-

---

9. La secte des *hashashin* a inspiré de nombreux ouvrages. Lire notamment : *Le Vieux de la montagne*, de Freidoune Sahebjam, Livre de Poche, 1995, *Les Assassins*, de Bernard Lewis, Complexe, 1984, et le roman de Vladimir Bartol, *Alamut*, Phébus, 1988. Une grande part de légende entoure les agissements politiques ainsi que l'articulation philosophique et théologique de Hassan ibn Saba, et, en fait de doctrine ultra-rigoriste, il semble que le « Vieux de la montagne » ait en réalité conceptualisé un mode d'abattement des règles, tabous et contraintes, y compris religieux. Certains vont jusqu'à l'évoquer à la manière d'un précurseur de l'anarchie ! Il demeure, et cette réalité nous préoccupe ici, qu'il conçut et ordonna des attentats-suicides dont la fréquence, les modalités, la nature et les justifications – même romancées – n'échappent pas à la comparaison avec celles d'Al-Qaïda contre les États-Unis neuf siècles plus tard…

mière fois, recherché par le pouvoir pour sédition, Hassan
ibn Saba parvient à réunir sous sa bannière ismaélienne –
mélange de persanité zoroastrienne et de rigorisme islamique absolu – quelques milliers de fidèles qui lui vouent
un culte sans faille. Puis il s'empare par la ruse d'une forte-
resse perchée sur un pic des monts Elbourz, Alamut, dans
et autour de laquelle il organise une micro-société autar-
cique aux modes de vie spartiates. De ce nid d'aigle quasiment inexpugnable (seuls les Mongols parviendront à le
raser, deux siècles plus tard), et fort de seulement quelques
centaines d'hommes dévoués et drogués au haschich (d'où
les *hashashin*, qui donnera en français *assassin*), le « Vieux
de la montagne » lance une vague sans précédent d'assassi-
nats-suicides contre les chefs de l'administration politique
et militaire de l'empire turc. Ainsi, entre 1092 et 1096, un
sultan puis son épouse assurant l'intérim, ainsi que deux
grands vizirs, vingt vizirs, seize émirs, huit gouverneurs,
neuf généraux et nombre de notables et d'officiers tom-
bent sous la lame souvent empoisonnée des Assassins
d'Alamut. Le nombre d'Ismaéliens infiltrés est tel que la
terreur et la suspicion s'instaurent partout et que l'empire
vacille [10].

Neuf cents ans plus tard, le meilleur moyen de provoquer le chaos a changé, assassiner aveuglément des civils en
quantité convient mieux que frapper des dirigeants, du
reste plus difficiles à atteindre. Mais, outre cette différence
tactique de nature logistique et technologique, seul un élément distingue un Hassan ibn Saba d'un Ben Laden : le

---

10. Cf. le chapitre consacré à Hassan ibn Saba dans mon ouvrage
d'histoire de la stratégie, *L'Art de la guerre par l'exemple*, Flammarion,
2000, p. 55 et suiv.

premier était un chiite persan, le second est un sunnite arabe. Certains spécialistes de l'islam objecteront probablement que cette différence spirituelle et culturelle ne peut s'écarter d'un revers de main. J'en conviens. Mais, en l'espèce, la remarque théorique s'efface devant le nombre et la réalité des authentiques similitudes entre les deux systèmes : création d'un groupe de fidèles de même obédience (Arabes musulmans wahhabites « afghans » de Ben Laden) ; initiatives séditieuses et expulsion (Ben Laden déchu de sa nationalité saoudienne) ; ascétisme et vie recluse au nom d'un islam « pur » et de stricte application (« probité » talibane et dénuement affiché de Ben Laden) ; stricte application du code de lois islamiques, la charia (châtiments corporels, soumission absolue des femmes sous les talibans, etc.) ; repli militaire dans une géographie excessivement tourmentée (Afghanistan) ; entraînements longs et drastiques (des mois ou des années dans des camps en Afghanistan et au Soudan) ; conditionnement spirituel efficace avec usage massif du mythe du paradis aux soixante-dix vierges ; patiente infiltration des « martyrs » individuels ou en réseaux au sein des structures ennemies (Angleterre, Allemagne, Floride) ; alliance ponctuelle avec les croisés pour mieux les frapper ensuite (États-Unis) ; sacrifice de nombreux musulmans (Dar es Salaam, New York, etc.) sur l'autel de la « cause » ; et même une manière de drogue avec la *Addu'a*, longue prière incantatoire précédant nombre de prônes islamistes et plongeant des foules dans une certaine transe… En vérité, les analogies s'avèrent confondantes et les preuves de la filiation accablantes, même si, répétons-le, nous autres Occidentaux nous référons davantage à Hassan ibn Saba que les déments d'Al-Qaïda eux-mêmes. Il demeure que l'expérience « kamikaze » islamiste prend bien sa source dans le Moyen-Orient du XIᵉ siècle et non dans le Japon de 1944, tandis que les premières racines dogmatiques auxquelles se réfère l'islamisme radical contemporain prennent corps dans des temps plus anciens encore et, au contraire des *hashashin* promus par légende, ne soulèvent aucun doute quant à leur réalité.

3. *La longue lignée dogmatique de l'islamisme radical*

Afin de comprendre les mécanismes d'interprétation des islamistes et de saisir l'origine et le mode de construction de leurs discours et représentations contemporains, il est impératif d'en revenir aux sources, à cette lignée de doctrinaires qui dévoyèrent l'*esprit* au profit de la *lettre*, implacable, ossifiée, mortifère.

L'école hanbalite, du nom de son fondateur originaire de Bagdad, le jurisconsulte Ibn Hanbal (780-855), est, aux côtés des écoles hanéfite, malékite et châfeite, l'une des quatre écoles juridiques de l'islam conçues à l'époque des Abbassides. Elle se distingue des autres par un rigorisme absolu dans la stricte application des préceptes et commandements contenus dans les cent quatorze sourates du Coran et les six recueils de hadith (commentaires liés aux épisodes de la vie du Prophète) que comprend la sunna (tradition). Le précurseur de cette école juridique préconisait – dans son recueil *Al Musnad* – une fidélité intégrale aux Textes sans qu'il fût possible d'en tenter une quelconque interprétation empruntant la voie de l'innovation, forcément blâmable (la *bid'a*), exigeant qu'on adopte une attitude d'imitation des *salaf*, les Anciens de la période médinoise du Prophète, modèle idéalisé. Toute opinion personnelle ou exégèse allégorique devait être exclue au profit d'un enseignement littéral. À partir du développement de cette école qu'on pourrait qualifier d'intégriste, les portes de l'*ijtihâd* (la réflexion personnelle) se ferment durablement, d'aucuns disent définitivement.

Très influencé par Ibn Hanbal dont il s'affirme le disciple, un autre personnage laisse une empreinte indélébile dans la lignée politico-spirituelle de l'islamisme radical : le Syrien Ibn Taymiyyah (1263-1328). Traquant de manière obsessionnelle toutes les influences philosophiques – notamment grecques – susceptibles selon lui de corrompre et de biaiser la lettre originelle du Coran, fustigeant avec la dernière virulence les sectes ésotériques et les soufis, dénonçant les pèlerinages sur la tombe de sages ou en faveur des saints comme rites païens et idolâtres, faisant des châtiments corporels les critères mêmes du droit coranique, ce prédicateur dogmatique incarne le rejet le plus catégorique de tout type d'interprétation s'orientant vers des compromis, vers des lectures innovantes des Textes. Il écrit lui-même un ouvrage reflétant sa radicalité, devenu l'une des références principales des islamistes contemporains : *La Politique au nom de la Loi divine pour établir le bon ordre dans les affaires du berger et du troupeau.* Parmi ses thèmes de prédilection, qu'on retrouve aujourd'hui dans la bouche et dans les actes des islamistes, le Djihad (guerre sainte), auquel il accorde une importance primordiale et, en réalité, tout à fait outrancière. « Il fait ainsi du combat contre l'infidèle une des deux fonctions du prince : celui-ci doit consacrer son énergie au service de la religion, en assurant d'une part le triomphe de la vertu à l'intérieur de la Cité (par la rigueur des châtiments corporels), en menant d'autre part la guerre sainte au-delà des frontières[11]. » Une acception certes étonnamment contemporaine mais d'autant plus tronquée et instrumentalisée que le Djihad s'inscrit dans un large faisceau sémantique, et signifie aussi l'effort sur soi-même. Ibn Taymiyyah propose également une interprétation hostile aux juifs et aux chrétiens de la toute première sourate du Coran, al-Fâtiha, dont le dernier verset dit :

> « Dirige-nous dans le chemin droit :
> le chemin de ceux que tu as comblés de bienfaits ;
> non pas le chemin de ceux qui encourent ta colère
> ni celui des égarés. »
>
> Coran I, 7 [12]

Agitateur emprisonné pour ses excès, fanatique au point même d'incommoder certains exégètes hanbalites de son entourage, Ibn Taymiyyah a rédigé de nombreuses fatwas qui, presque huit cents ans après lui, sont distribuées *urbi et orbi* par un État constitutionnellement et philosophiquement fondé – par un autre théologien interposé – sur ses recommandations rigides et bellicistes : l'Arabie saoudite.

Car les deux théologiens que furent Ibn Hanbal et Ibn Taymiyyah fournissent l'essentiel de la doctrine wahhabite

11. Abdelwahab Meddeb, *La Maladie de l'Islam*, Seuil, 2002, p. 61. L'ouvrage de cet excellent connaisseur de l'Islam est d'une richesse d'analyse, d'une érudition et d'une accessibilité exceptionnelles.

12. Les citations coraniques sont puisées dans : *Le Coran*, traduction D. Masson, Gallimard, 1967. Ici, « Ceux qui encourent sa colère » seraient les juifs, et « les égarés » les chrétiens. Cette interprétation, fréquente dans l'enseignement ordinaire du Coran, fait l'unanimité dans les milieux islamistes.

qui naît de Mohamed ibn Abdelwahhab (1703-1787), bédouin du désert du Najd, situé au cœur de l'Arabie. Ce courant impose austérité et puritanisme, et son fanatisme dépasse même celui de Ibn Taymiyyah[13]. Or le wahhabisme correspond moins à l'édification d'une pensée originale – fût-elle ultrarigoriste – qu'à une interprétation galvaudée et appauvrie des éléments les plus rigides des authentiques théologiens évoqués plus haut : « Scribe sans une once d'originalité » à qui « on n'ose pas même attribuer le statut de penseur », « plus copiste que créateur [...] qu'il n'aurait pas été injuste de laisser dans l'oubli vu son indigence », et dont « la médiocrité et l'illégitimité ont été dénoncées à diverses reprises », Abdelwahhab fut accusé par des contemporains de stricte obédience sunnite orthodoxe d'être « un prétendant illégitime à la science, un sectateur ignare, dont les prescriptions ruinent l'édifice complexe du droit bâti le long des siècles[14] ». En zélateur fanatique, il joint l'action violente à la diatribe, considérant tous ceux parmi les musulmans qui n'adhèrent pas à sa foi et à son rite comme des apostats et des hérétiques, et il saccage tout vestige, toute trace archéologique, tout monument funéraire qui pourrait détourner les fidèles de l'exigence absolue de ne s'en remettre qu'à Allah.

---

13. Pour Anne-Marie Delcambre, « tout est dénoncé comme innovation coupable : le chiisme, la théologie dogmatique, la philosophie, le culte des saints, la musique, le théâtre, la poésie [...]. C'est un retour à la civilisation du désert. » *L'Islam*, La Découverte, 2001, p. 69. L'un des paragraphes du livre, celui consacré à la *Salafiyya*, surprend toutefois ; l'auteur y présente le courant de pensée salafiste comme non violent et exclusivement « réformateur », ce qui ne correspond plus à l'évolution de ces dernières décennies, évolution empreinte du fanatisme wahhabite.

14. Ces qualificatifs sévères sont livrés (et cités pour la dernière phrase) par Abdelwahhab Meddeb, *La Maladie de l'islam, op. cit.*, p. 67-72.

(Une pratique destructrice poursuivie par Riyad à l'aube du XXIᵉ siècle.) Sur le plan politique et militaire, la solide alliance que contracte Abdelwahhab avec l'émir Mohammed ibn Séoud permettra à sa secte marginale de déborder largement de sa sphère désertique originelle. Après plusieurs échecs d'expansion territoriale au cours du XIXᵉ siècle face aux armées égyptiennes et ottomanes, les Séoud parviennent en effet à s'emparer de la quasi-totalité de la péninsule Arabique, en l'occurrence grâce à Abd el Aziz ibn Séoud, lequel chassera les Hachémites des Lieux saints de La Mecque et Médine avant de fonder l'État d'Arabie saoudite en 1924. Mais le formidable levier propagateur du fanatisme wahhabite n'apparaît qu'au terme des années 1930, lorsque le royaume saoudien monte en puissance grâce à l'exploitation de ses inépuisables réserves pétrolières, ressources énergétiques qui conditionneront sans cesse davantage le bon fonctionnement des économies occidentales. Notons au passage que cette manne pétrolière est perçue comme un don d'Allah marquant son approbation aux wahhabites, lesquels entretiennent par ailleurs la représentation gratifiante d'incarner, au sein de l'islam, les « purs », ceux dont les ancêtres ont engendré le Prophète, ceux qui ont transmis le Coran par la grande conquête des premières décennies de l'Hégire (VIIᵉ-VIIIᵉ siècle de l'ère chrétienne), ceux qui s'expriment dans la langue du Texte sacré. Les autres, les « autochtones », ces trois quarts de musulmans non arabes que compte la planète, sont plus ou moins dévalorisés.

Dès lors, les principaux jalons d'un islam politique, rigoriste et radical sont posés. Mais les trois personnages évoqués ne furent guère influencés par une domination occidentale dans quelque domaine que ce fût. Aux IXᵉ et XIVᵉ siècles (de l'ère chrétienne), le moins qu'on puisse dire est qu'obscurantisme, stagnation technique et luttes intestines prévalaient davantage chez les princes de l'Occident chrétien que chez les sultans de l'Islam. L'unique domination, très provisoire, fort circonscrite et d'essence strictement militaire, avait correspondu à la période des Croisades (1099-1291), et s'achève en réalité dès 1187. Plus tard, un Abdelwahhab ne pourra guère davantage s'élever contre un Occident encore quasiment absent d'Afrique et d'Asie, n'imposant sa coercition prescriptive qu'aux (rares) juifs et chrétiens se trouvant à proximité de ses bases.

Ce n'est qu'à compter de Hassan al-Banna (1906-1949), Égyptien fondateur de la célèbre et redoutée confrérie des Frères musulmans en 1928, que les islamistes s'appuient sur des revendications liées à une domination politique, économique ou militaire occidentale pour renforcer un dogme du ressentiment, cherchant en l'espèce à éviter toute influence culturelle et/ou politique occidentale, insistant sur la nécessité de préserver une stricte éducation islamique par le rattachement des écoles aux mosquées et d'éviter la constitution de partis politiques, étrangers à l'esprit des Textes. Hassan al-Banna anticipe clairement le recours à la violence terroriste, y compris à caractère suicidaire, qui se développera quelques décennies après lui, par ce type d'exhortations : « Le drapeau de l'Islam doit dominer l'humanité. Le devoir du musulman est d'éduquer le monde selon les règles de l'Islam. Je m'engage à lutter tant que je vivrai pour réaliser cette mission, et à lui sacrifier tout ce que je possède[15]. » Cette défiance à l'égard de l'Occident, inaugurée par al-Banna, se retrouve décuplée et métamorphosée en hostilité existentielle chez les deux derniers

---

15. Cité in Latifa ben Mansour, *Frères musulmans, frères féroces. Voyage dans l'enfer du discours islamiste*, Ramsay, 2002, p. 80.

principaux doctrinaires en date de l'islamisme le plus radical :
l'Égyptien Sayyed Qotb (1929-1966) et le Pakistanais Abu al-
Ala Mawdûdi (1903-1979). Le premier (disciple du second)
théorise que tout – pensées, représentations, actions hors des
préceptes coraniques –, sauf la pure et stricte parole d'Allah,
est défaillant et doit par conséquent disparaître par abolition.
Dans son ouvrage intitulé *Spécificité et fondements de la condition islamique*, il donne une impulsion qualitativement déter-
minante aux textes et discours virulents de ses mentors Ibn
Hanbal et Ibn Taymiyyah en prêchant ouvertement la violence, l'intensification à outrance et l'extension à la Terre
entière du Djihad. Il sera pendu par Gamal Abdel Nasser
mais, *post mortem*, Qotb fera des émules (essentiellement dans
le monde arabe) jusqu'à nos jours, encourageant, prônant ou
pratiquant pour beaucoup les attentats-suicides qui confèrent
le statut de martyr, lequel statut prétendument gratifiant
trouve le cas échéant légitimation – encore qu'à grand renfort
d'un bricolage exégétique permettant de passer outre à l'interdiction formelle du suicide – dans un unique verset :

> « Ne crois surtout pas
> que ceux qui sont tués
> dans le chemin de Dieu sont morts.
> Ils sont vivants ! »
>   Coran, III, 169

Le maître de Qotb, Abu al-Ala Mawdûdi, joue pour sa
part un rôle géopolitique plus important encore dans la
mesure où il influence des millions de Pakistanais et autres
Afghans voisins, au point de servir de « phare » et de modèle
d'interprétation théologique à des milliers d'islamistes fanatiques qu'on retrouve aujourd'hui aux côtés d'un « Ben

Laden » au sein d'Al-Qaïda ou dans les maquis des Groupes islamiques armés (GIA) algériens. Ce prédicateur postule que « la civilisation occidentale est pourrie, car les principes qui la fondent sont faux notamment par le fait que cette civilisation se base sur l'indépendance et l'indifférence de l'homme par rapport à l'orientation divine… », et que l'intégralité de toute souveraineté appartient à Allah [16]. Il combat par voie de conséquence tout type de système politique. D'aucuns brossent sans complaisance mais avec justesse la résultante apocalyptique de la doctrine de Abu al-Ala Mawdûdi : « Dans ce théocentrisme forcené, absolu, jamais aussi radicalement pensé dans la tradition, le monde se transforme en un cimetière. Si Mawdûdi reproche à l'Occident la mort de Dieu, on peut l'accuser d'avoir instauré la mort de l'homme. Son système délirant invente un totalitarisme irréel, qui excite les disciples et les incite à semer la mort et la destruction sur tous les continents. Voilà à quelle négation de la vie, à quel nihilisme conduit la raison théorique lorsqu'elle n'est pas soumise au contrôle de la raison pratique. […] Cette vision radicale et terrifiante instaure une table rase et transforme le monde en désert postatomique dont on retrouve les paysages désolés, où qu'on jette son regard, sur les pages noircies par Sayyid Qutb […] [17]. »

Résumons : à l'heure actuelle, les mouvements islamistes présentent tous, à quelques variantes locales près, un corps de doctrine se caractérisant, sur le plan rituel, moral et social, par une adhésion littérale au Coran et à la sunna, par un théocentrisme poussé à l'extrême (destruction des images, des statues), par une quête constante de purification de l'âme (haine

---

16. *Ibid.*, p. 82.
17. Abdelwahab Meddeb, *La Maladie de l'Islam, op. cit.*, p. 121.

proclamée du mensonge, de la corruption, de l'hypocrisie), par un puritanisme excessivement rigoureux (tout spéciale- ment appliqué aux femmes), par un refus catégorique de toute influence culturelle occidentale (médias, prêtres, tou- ristes), et, sur le plan politico-religieux, par l'exigence que soient transcendés les clivages ethno-politiques au sein de l'Umma (la communauté des croyants musulmans), par le combat contre le Dar el-Harb (maison de la guerre, soit les espaces non soumis à l'Islam, par opposition au Dar el-Islam), par le rejet des concepts et idéaux « étrangers et néfastes » à l'islam (État, classe sociale, marxisme, nationalisme, laïcité, etc.) au profit du rétablissement du califat (aboli en 1924 par Kemal Atatürk), par la lutte contre les régimes musulmans considérés comme *kafirs* (apostats, car n'appliquant pas « totalement et exclusivement » la charia), et par une vindicte absolue à l'encontre des juifs et des chrétiens (« croisés ») affranchis de leur statut obligé de *dhimmi* (« protégé »), autre- ment dit de soumis. Enfin, vis-à-vis des musulmans croyants et pratiquants, notons que les islamistes sunnites stigmatisent comme hérétiques les chiites et combattent vigoureusement les soufis pour leur mysticisme et leur ésotérisme. Dans le rôle de propagateur de ce corpus apocalyptique, un Ben Laden, loin d'être isolé, participe d'un Abd el Aziz Ibn Baz saoudien, d'un Omar Abdul Rahmane égyptien, d'un Gulbuddine Hekmatyar afghan, d'un Hassan al-Tourabi soudanais, d'un Abassi Madani algérien, etc.

Enfin, le verbe islamiste – déterminant dans des régions où prédomine traditionnellement l'oralité et où sévit parfois l'analphabétisme – strictement manichéen et totalitaire par essence, indigent en *logos* mais prodigue en *pathos*, persé- cutif et victimaire, intègre systématiquement et de façon phobique les notions négatives de complot, d'impureté, de fornication (*zina*). Certains spécialistes de l'islamisme – je n'en suis pas un moi-même – n'hésitent pas à inscrire ce discours dans la sphère psychanalytique et à le comparer, sur la forme et sur le fond, au discours nazi. Mais, en définitive, le caractère apocalyptique de cette idéologie, d'essence infiniment plus religieuse que spirituelle, réside dans sa dimension autodestructrice et mortifère. Dix années avant le 11 septembre, plus proche dans le temps et dans l'espace que les théologiens moyen-orientaux ou asiatiques observés plus haut, l'ancien chef algérien du Front islamique du salut, Ali Benhadj, proférait :

« La vraie foi, c'est celle qui pousse le croyant au sacrifice. La vraie foi est celle qui pousse le fidèle à abandonner ce qu'il a de plus précieux pour la voie d'Allah et de sa religion. Lorsqu'un homme veut faire un cadeau à un ami, ne lui offre-t-il pas le plus précieux des objets ? Pas un objet acheté au rabais. Le plus précieux que nous ayons, c'est la vie que l'on doit sacrifier et offrir à un ami. Lorsque nous nous sacrifions pour notre foi, la foi se propage et nous serons fiers de nous. Ces croyances sont très chères. Mais le tribut à payer pour défendre cette foi est très lourd. Si une foi, une croyance n'est pas arrosée et irriguée par le sang, elle ne pousse pas. Elle ne vit pas. Les principes se renforcent par les sacrifices, les opérations-suicides et le martyre pour Allah. C'est en comptant quotidiennement les morts, en additionnant massacres et charniers que la foi se propage. Peu importe si celui qui a été poussé au sacrifice n'est plus là. Il a gagné [18]. »

---

18. Latifa Ben Mansour, *Frères musulmans…, op. cit.*, p. 165. Voir aussi l'incontournable ouvrage d'Alexandre Adler, *J'ai vu finir le monde ancien*, Grasset, 2002.

Document 2 : Puissances non arabes au Moyen-Orient

RUSSIE

KAZAKHSTAN

OUZBÉKISTAN

KIRGHIZISTAN

TURKMÉNISTAN

TADJIKISTAN

CHINE

ARMÉNIE

AZERBAIDJAN

TURQUIE

GRÈCE

CHYPRE

LIBAN

SYRIE [a]

ISRAEL

IRAK [a]

IRAN

AFGHANISTAN

PAKISTAN

KOWEIT [a]

BAHREIN

QATAR

ÉAU

INDE

ÉGYPTE [a]

ARABIE SAOUDITE [a]

OMAN

LIBYE [a]

SOUDAN [a]

VIIᵉ flotte

Pays turcophone	[a] États arabes
Minorité turcophone	▨ Pays persanophone
Pays où la Turquie pourrait jouer un rôle	▤ Pays où l'Iran joue un rôle
Zone sensible pour la Turquie	□ Zone sensible pour l'Iran
	⌢ Antagonisme traditionnel

Édigraphie

0   1500 km

Et l'on voudrait nous faire croire que Ben Laden et ses affidés ont commis un assassinat de masse par compassion pour les déshérités ! Obsessionnellement nourris à tout ou partie de ces différents corps de doctrine, les interprétant de manière plus ou moins spécieuse mais toujours fanatique, des islamistes algériens scient des nourrissons ou les jettent vifs dans les flammes devant leur mère, des islamistes égyptiens coupent des oreilles d'enfants de touristes avant de les égorger, des islamistes pakistanais mitraillent des chrétiens en prière, mais on s'interroge sur l'arrogance américaine comme origine possible de l'exaspération des « kamikazes » du 11 septembre ! Des islamistes saoudiens lapident des femmes à mort et amputent à tour de bras, des islamistes soudanais affament délibérément des centaines de milliers de chrétiens et d'animistes, des islamistes afghans ont terrorisé les femmes depuis la tendre enfance, mais on prétend que le soutien de Bush à Sharon – dont les nations respectives n'existaient même pas à l'époque des trois premiers concepteurs de l'islamisme radical – a déclenché la colère d'Al-Qaïda !

Il n'est de pire aveugle que celui qui ne veut pas voir, encore qu'à ce niveau l'ignorance et l'imposture idéologique le disputent à l'aveuglement [19]…

19. Dans l'immédiat après-11 septembre, l'écrivain algérien Boualem Sansal s'exprima en des termes aussi sévères que réalistes, non seulement sur l'islamisme mais sur l'islam et les dirigeants arabes qui l'instrumentalisent. À lire absolument… « Journal intime », *Les Inrockuptibles*, 25 septembre 2001.

B. *La conséquence du lien Bush/Sharon ?*

Dès le soir du 11 septembre, quelques « analystes » entreprirent d'expliquer doctement que l'Amérique de Bush payait par ces attentats le soutien à l'Israël de Sharon : les sentiers battus de la facilité, l'autoroute de la mauvaise foi au service de l'américanophobie, l'argument usé jusqu'à la corde qui permet de comprendre à peu près tous les malheurs du monde… Je me permettrai quelques rappels rafraîchissants à cet égard.

1. *Des attentats pensés de longue date*

Les vrais experts en terrorisme sont formels et les observateurs moins qualifiés en conviennent : la quadruple opération terroriste aérienne n'a pu qu'être pensée et organisée de longue date, vraisemblablement plusieurs années à l'avance[20]. Or ces années de préparation, d'infiltration et d'apprentissage – et quand bien même il ne s'agirait que de deux ou trois ans – imposent un démenti catégorique aux indécrottables tenants du lien Bush-Sharon. Le premier ne fut (définitivement considéré comme) élu à la présidence des États-Unis d'Amérique qu'en janvier 2001, et le second remporta les élections au poste de Premier ministre de l'État d'Israël le mois suivant[21]. Il est donc matériellement impossible qu'à cette époque tardive par rapport aux attentats Oussama ben Laden ou Mohamed Atta (l'un des pirates de l'air et peut-

20. C'est notamment la thèse de François Heisbourg, président de la Fondation pour la recherche stratégique (FRS), qui a dirigé une excellente étude consacrée au 11 septembre : *Hyperterrorisme, la nouvelle guerre*, Odile Jacob, 2001.

21. Encore son gouvernement d'union nationale ne fut-il constitué qu'en mars.

être cerveau de l'opération) aient envisagé, en représailles à des politiques qui, de surcroît, n'étaient même pas encore adoptées, une meurtrière expédition punitive.

L'assertion apparaît du reste d'autant plus fantaisiste ou malhonnête que – tout *quidam* un rien assidu de la vie politique proche-orientale le sait – les terroristes islamistes frappent *justement,* en bons adeptes de la politique du pire, lorsque les espoirs de paix progressent. Soyons précis : à quel moment des terroristes proches du Hezbollah assassinèrent-ils plusieurs dizaines de civils juifs à Buenos Aires ? Quand les troupes israéliennes du nationaliste Menahem Begin venaient à peine d'évacuer Beyrouth et contrôlaient encore tout le Sud-Liban ? Absolument pas. En juillet 1994, au meilleur du processus de paix israélo-palestinien, et alors que des pourparlers avaient commencé entre Israël et la Syrie sur le statut à venir du plateau stratégique du Golan et sur le sort du Liban. Restons précis : à quelle date le World Trade Center avait-il déjà fait l'objet d'un attentat à l'explosif ? Sous la double mandature du conservateur américain Reagan, et tandis que le nationaliste Shamir présidait aux destinées d'Israël ? Certes non ! En février 1993, sous le démocrate Clinton, en plein processus de pourparlers israélo-arabes, alors que chacun savait pertinemment que le gouvernement israélien et l'OLP, en marge des négociations ouvertes dans le cadre du processus de Madrid, avaient établi des contacts secrets en vue de progresser plus rapidement. En l'occurrence, Rabin et Arafat négociaient à Oslo les futurs accords éponymes qui seraient signés en septembre. Précis toujours : à quelle époque eut lieu la pire vague d'attentats islamistes dans les agglomérations civiles israéliennes, avant celle imputable à la première guerre israélo-palestinienne (ou seconde Intifada) ? Au cours de la mandature du nationaliste Netanyahou ? Que nenni ! En février et en mars 1996, lorsque Shimon Peres, le Premier ministre israélien « colombe » et prix Nobel de la paix assurant l'intérim après l'assassinat d'Itzhak Rabin (novembre 1995), traitait presque quotidiennement et au grand jour avec un Arafat récemment élu, accélérant même les retraits de Tsahal (l'armée israélienne) des zones promises à l'autonomie par les accords d'Oslo. Au demeurant, cette vague d'attentats projetée au cœur des métropoles israéliennes faisait elle-même suite à d'autres opérations meurtrières perpétrées dans le sillage immédiat de la signature de l'accord de paix israélo-jordanien, en octobre 1994. Multiplier les exemples de tentatives de sabotage des avancées diplomatiques israélo-arabes serait vain. Lorsque la politique adoptée par un groupe terroriste s'avoue lisiblement celle du pire, il devient illusoire, pour ne pas dire malsain, de la justifier par référence à telle autre politique certes éventuellement critiquable, mais néanmoins globalement orientée vers des efforts de paix.

2. « *Ben Laden se fiche des Palestiniens !* »

Ainsi s'intitulait un article que j'avais signé dans le quotidien *Libération* quelques semaines après le 11 septembre [22]. Aujourd'hui, j'en suis plus que jamais convaincu et je crains que, malheureusement, tous les Ben Laden et autres autocrates arabes continuent à l'avenir à se « ficher » des Palestiniens, dans les deux acceptions du terme : ne pas s'en préoccuper, et s'en moquer cyniquement.

Le manichéisme ambiant impose souvent l'image simpliste d'un monde arabe soudé face à Israël, ou seulement solidaire tout court. Il n'en est rien, et le fiasco du sommet

22. « Rebonds » du 18 octobre 2001.

arabe de Beyrouth, en mars 2002, en offrit l'illustration la plus criante, la plus caricaturale. Non seulement les vingt-deux États arabes que compte la planète ont guerroyé à trente-six reprises depuis 1945 (date de la création de la Ligue arabe), mais encore la moyenne des échanges économiques interarabes ne dépasse pas 7 % pour chacun d'entre eux. Quant au problème palestinien, il a fini au fil des décennies par constituer à lui seul le cache-sexe de ce morcellement chronique, tandis que les régimes qui actuellement souhaitent la création d'un État palestinien souverain en Cisjordanie et à Gaza – quelles que soient leurs motivations respectives – apparaissent peu nombreux.

Dans les milieux islamistes, les plus indulgents accordent à Yasser Arafat le qualificatif de « faible », les autres le considérant, depuis 1993 au moins, comme un traître. À cette date en effet, le leader palestinien reconnut officiellement et de manière solennelle l'État d'Israël, « l'entité sioniste » honnie. Sa duplicité constante, ses appels fréquents au Djihad dans les médias palestiniens et – plus généralement – musulmans, sa connivence (du moins depuis le déclenchement de la seconde Intifada, en septembre 2000) avec le Hamas et le Djihad islamique, sa détermination à exiger une pleine souveraineté nationale palestinienne sur l'esplanade des Mosquées sise sur le mont du Temple à Jérusalem, rien n'y fait : les islamistes haïssent Arafat, ceux d'Al-Qaïda en tête. La main tendue à Itzhak Rabin, la poursuite cahin-caha du processus d'Oslo (1993-2000) et l'alliance avec les vieilles factions marxisantes de l'OLP (tels le FPLP et le FDLP) ne passent pas [23]. Ce qui exaspère

---

23. OLP/FPLP/FDLP : respectivement Organisation de Libération/Front Populaire de libération/Front de Libération de la Palestine.

peut-être davantage encore un Ben Laden, c'est la participation active, au sein du mouvement national palestinien,
d'un grand nombre d'authentiques démocrates, de chrétiens, de femmes, infiniment trop à son goût wahhabite.
Lorsqu'une Hanane Ashraoui s'exprime publiquement en
faveur de l'égalité des droits des femmes en Palestine,
quand un Sari Nusseibeh plaide pour une reconnaissance
du lien historique juif avec le mont du Temple à Jérusalem, lorsque des intellectuels dénoncent la corruption au
sein de leur propre camp, c'est l'obscurantisme islamiste
qui accuse le coup, et tous ses idéologues qui contribuent
de plus belle à asseoir une direction islamiste à la tête du
futur État palestinien, dominée par le Hamas et le Djihad
islamique[24]. Du reste, aux frontières arabo-musulmanes
mêmes d'Israël et du futur État palestinien, on craint
comme la peste la possible contagion démocratique en
provenance de Ramallah, Naplouse et Jérusalem-Est. Plus
loin, de Riyad à Islamabad en passant par l'ex-Kaboul talibane, on connaît désormais trop bien la place des femmes
et des non-musulmans pour qu'on en rappelle ici la
nature…

La réalité est la suivante : Ben Laden, très vraisemblablement surpris par l'ampleur et la rapidité de la riposte américaine, lâché par ses alliés pakistanais, isolé dans des frontières hermétiquement closes par les États alentour (Iran
compris), et en définitive moins soutenu que prévu par les
opinions arabo-musulmanes ou la rue arabe, a procédé
comme l'exigeait la tradition : il a instrumentalisé sans ver-
gogne la cause palestinienne, ici au moment précis où il pre-

---

24. Les deux principaux groupes islamistes palestiniens, comprenant
chacun un bras armé terroriste.

nait la mesure de la détermination américaine à répliquer puissamment en Afghanistan, pas avant. Amère, Leïla Chahid, déléguée générale de la Palestine en France, l'a alors fort justement rappelé : « La cause palestinienne est un alibi pour Ben Laden [25]. » Et nous devrions souscrire aujourd'hui à la version naïve, ou mensongère, d'un Ben Laden sincère lorsqu'il justifie l'assassinat de plusieurs milliers de civils new yorkais par le besoin de « sécurité » de la Palestine ? Trop tard, trop facile, et surtout trop malhonnête.

Il convient d'ajouter qu'il en va de l'Irak comme de la Palestine. Oussama ben Laden abhorre autant sinon davantage le régime de Saddam Hussein que l'Autorité palestinienne de Yasser Arafat, pour des raisons relativement similaires. Officiellement, le régime en place à Bagdad – capitale de la prestigieuse dynastie abbasside – s'affirme baasiste, autrement dit panarabe, laïc et socialiste. Dans les faits, laïcité et socialisme s'appliquent de façon si édulcorée qu'ils en deviennent des concepts creux, des réalités vidées de leur substance, mais propres à susciter l'intérêt et l'amitié de certains États européens… Mais, aux yeux de Ben Laden, le régime irakien incarne malgré tout l'apostasie à l'instar des autres régimes musulmans n'imposant pas strictement la charia. Or la défense rhétorique de cet Irak-là par Al-Qaïda prête à sourire : c'est précisément à partir de l'invasion irakienne du Koweït en août 1990 que le maître d'Al-Qaïda a définitivement plongé dans un combat de type apocalyptique. À l'époque, ce sujet saoudien vient proposer les services de ses seize mille *moudjahidine* (combattants du Djihad) « afghans » (en fait arabes pour la plupart), auréolés de leur triomphe face à la puis-

---

25. *France Info*, journal de 15 heures, 8 octobre 2001.

sante armée soviétique vaincue, et retirée par-delà la frontière internationale deux années auparavant. L'Irak militairement équipé par les Occidentaux (France, Allemagne…),
allié au Satan athée soviétique, État mécréant par excellence, vient d'envahir le Koweït dont la dynastie bédouine
au pouvoir (les Sabah) respecte en principe scrupuleusement la charia. Une seule conduite s'impose alors : Ben
Laden propose à Riyad de lancer le Djihad contre l'Irak.
Or son souverain, le roi Fahd d'Arabie saoudite, le remer-
cie en lui expliquant qu'il a déjà accepté (ou demandé ?) le
soutien des Américains contre Saddam. Vécue comme
humiliante, sacrilège (dans les bases américaines établies
sur le « sol sacré » d'Arabie évoluent des femmes au volant,
en tenue légère, des juifs, des athées, etc.), et contraire à la
fraternité islamique, l'initiative saoudienne heurte et exaspère profondément le turbulent sujet, qui, dès lors, décide
de se lancer à partir du Soudan, puis de l'Afghanistan,
dans son entreprise déstabilisatrice et apocalyptique.

Comme pour les Palestiniens, on pourrait croire que seul
le sort du peuple irakien – victime d'un embargo onusien
injuste, et dont l'efficacité à « punir » ou affaiblir Saddam
Hussein reste à démontrer –, et non celui de ses leaders cha-
grine Ben Laden[26]. Argument de gens de bonne foi, mais
argument invalide en l'occurrence ; les islamistes radicaux
de sa veine ont déjà expédié *ad patres* bien trop de musulmans, d'Alger à Téhéran et d'Islamabad à New York, pour
qu'on puisse prendre encore acte de leur volonté sincère
d'en défendre d'autres. Sauf à penser – et je n'en suis pas

---

26. Notons que l'embargo contre l'Irak, ancien second producteur
mondial de brut, a été une aubaine pour les pétromonarchies du
Golfe…

loin – qu'en définitive les islamistes radicaux interdisent aux non-musulmans de brimer les musulmans qu'eux seuls revendiquent le droit – comme en Algérie – d'occire ! Droit de préemption, d'exclusive en quelque sorte...

3. *La cause palestinienne, instrument politique jetable pour autocrates arabes*

On se souvient volontiers du départ forcé d'Arafat de Beyrouth assiégée par Tsahal en 1982. Mais qui se souvient de la guerre dite « des camps », féroce, meurtrière, enclenchée par le Syrien Assad un an plus tard à Tripoli (Nord-Liban), et à l'issue de laquelle Arafat s'exila pour la seconde et dernière fois à Tunis ? Dans cette logique, on peut rappeler que l'inamovible ministre syrien de la Défense, le « général-poète » Mustapha Tlass, traita publiquement le président palestinien de « fils de soixante mille putes[27] ». En 1990, après avoir envahi le Koweït et alors que, contre toute attente, les soutiens traditionnels (France, Union soviétique, etc.) s'effacent devant l'implacable détermination américaine, Saddam Hussein s'empare du précieux instrument palestinien et lui, le laïc, le républicain, le socialiste panarabe, brandit le thème du Djihad et appelle les musulmans du monde entier à libérer Al Quds, Jérusalem « la sainte ». Dès le commencement de l'offensive onusienne de janvier, il met ses menaces à exécution et propulse plusieurs dizaines de missiles sol-sol Scud sur l'État d'Israël pourtant hors coalition. Une fois la guerre perdue, le « Saladin » d'Irak imite tous ses prédécesseurs : il lâche l'instrument redevenu provisoire-

27. *Le Monde*, 5 août 1999.

ment inutile. Au cours de la même période, le roi Fahd d'Arabie punit « ses » Palestiniens parce que Arafat a précisément pris fait et cause pour le susnommé Saddam. Entre une coalition largement américaine et un Saddam feignant de se préoccuper des Palestiniens, le raïs avait-il réellement eu le choix ? Toujours est-il que le souverain saoudien se venge en expulsant techniciens et ingénieurs palestiniens travaillant dans l'industrie pétrolière du royaume. Pour la plupart, ces hommes et leurs familles doivent tout quitter dans la précipitation ; les cas de brimades, d'exactions et de spoliations sont légion. Ces réfugiés trouvent asile au sein de la Jordanie voisine, en y renforçant la majorité déjà palestinienne de la population. Quelques mois plus tard, avec la libération du Koweït, ce sont les Palestiniens de l'émirat qui connaissent l'expulsion ; on évoque cette fois des disparitions, des emprisonnements avec tortures et des exécutions sommaires par centaines. Puis c'est au tour du Libyen Kadhafi, le tonitruant dictateur frustré de ses aventures panmaghrébines, tchadienne (interventions françaises en 1983 et en 1985) et séditieuses (nombreux attentats anti-occidentaux portés directement au compte d'agents libyens, dont celui de Lockerbie, en 1988) de punir Yasser Arafat pour ses initiatives politiques et diplomatiques, en expulsant en plein désert des milliers de réfugiés palestiniens [28]. Enfin, au sommet arabe de Beyrouth de mars 2002, la Syrie interdit à son vassal libanais de permettre au leader palestinien – reclus à Ramallah par Tsahal – de s'exprimer en vidéoconférence, en duplex et en direct !

Devant cette liste tristement longue mais, hélas, non exhaustive de ces Saladin de fortune, toujours prêts à donner

---

28. Ce qui ne l'empêchera pas d'organiser une grande manifestation en faveur de… Yasser Arafat (!), le 1er avril 2002.

des leçons de conduite guerrière à Arafat et à lutter jusqu'au dernier Palestinien, un constat s'impose : prétendument laïcs ou réellement islamistes, monarchistes ou républicains, les chefs de groupe ou d'État arabes – États dont malheureusement pas un seul à ce jour n'incarne une authentique démocratie – utilisent la cause palestinienne à la manière d'un exutoire, d'un excellent dérivatif destiné à canaliser les frustrations politiques et socio-économiques de leur population respective. Politiques et discours hypocrites de hérauts arabes, chantres de la Palestine qui brandissent le Djihad en faveur des Palestiniens dont la cause se façonne, l'instant d'une crise politique ou militaire par eux provoquée, en instrument politique jetable. Ben Laden s'inscrit en droite ligne de cette tradition maintenant vieille de plus d'un demi-siècle. Récemment, un chroniqueur palestinien résumait cette triste réalité en ces termes : « Beaucoup de ceux qui nous promettent des lendemains qui chantent continuent [...] à se réclamer de régimes qui n'ont pas tiré une seule cartouche contre Israël depuis 1967, mais qui sont imbattables quand il s'agit de répression intérieure ou de procédés destinés à pérenniser leur mainmise sur leur propre pays [29]. » À n'en point douter, ce « soutien » arabe constitue l'une des tragédies du peuple palestinien.

---

29. « Israël, les Arabes et nous », Abdelaziz Mzoughi, *Hebdo Tunisie*, 13 mai 2002. Il convient toutefois de noter des différences notoires quant au degré d'autoritarisme des régimes arabes : très élevé en Irak ou en Arabie saoudite, moins en Égypte ou à Oman. Des États tels que la Jordanie ou le Maroc connaissent ces dernières années une évolution positive en matière de démocratisation.

C. *La fausse revanche des déshérités contre les nantis*

Conséquence malheureuse mais prévisible (et justifiée ?) des déséquilibres socio-économiques et financiers de la planète, et de la mauvaise distribution des richesses entre les nations, le 11 septembre trouverait là son explication. Par cette initiative hautement symbolique – frapper au cœur du capitalisme par le truchement de « kamikazes » –, Ben Laden se serait fait le héraut d'un monde humilié par l'Amérique, offrant de porter un coup massif contre le symbole du capitalisme au nom des déshérités et avec l'unique arme dont ils disposent : le terrorisme. Une offensive compréhensible du Sud contre le Nord, des pauvres contre les riches dans cette lutte implacable imposée par les seconds aux premiers.

Voilà par quels syllogismes simplificateurs, pauvres/Sud opprimés par riches/Nord, on présenta l'assassinat collectif du 11 septembre, dans un consternant florilège servi à l'antenne, dans des colonnes et sur des plateaux par des « analystes », en réunion par des militants associatifs… Antédiluvienne, cette rengaine tiers-mondiste et manichéenne des riches contre les pauvres est si surannée qu'elle en devenait presque sympathique ces dernières années, tant elle prêtait objectivement à sourire, tant elle ne correspondait plus à aucune réalité tangible du monde moderne, tant elle renvoyait à la période heureusement révolue de la guerre froide qui précéda l'effondrement de l'Union soviétique. Or jamais cette antienne riches/pauvres n'aura si peu correspondu à la réalité qu'à New York le 11 septembre 2001, comme l'indiquent deux experts en terrorisme : « La médiasphère n'a qu'une explication pour le crime ou le terrorisme : c'est la misère qui les provoque. Cent études indiscutablement scientifiques ont été produites au long des deux dernières décennies, montrant que, dans le domaine du crime, il n'en est rien. Bienséante autant que romantique, l'affirmation est tout simplement fausse. Mais rien n'y fait. Et pour le terrorisme ? Après le 11 septembre, le serpent de mer des misérables sombrant dans le fanatisme refait surface – ce qui est grotesque [30]. »

1. *La* Ben Laden Corp.

Al-Qaïda, nébuleuse protozoaire, non pyramidale et de fonctionnement extrêmement souple et tentaculaire, constituée d'un conseil consultatif religieux (*choura majlis*), et de quatre comités, militaire, financier, juridico-religieux et médias, comprend en 2002 entre 4 000 et 5 000 hommes et jouit d'un financement intégralement assuré par l'entreprise capitaliste d'un ultra-libéral nommé Ben Laden. Issu d'une riche famille saoudienne d'origine yéménite ayant fait fortune dans la construction de palais et d'infrastructures, il disposait en 2001, selon toutes les sources disponibles, d'une fortune industrielle et financière évaluée à plus de 400 millions de dollars. Comptes protégés dans des paradis fiscaux au secret bancaire garanti, participations occultes dans de grands groupes financiers, sociétés-écrans par dizaines pour tout type de blanchiment et de transactions, capitaux cotés en Bourse et interventions massives sur les principales places financières (dont New York), etc. ; le moins qu'on puisse dire d'Oussama ben Laden (comme du reste de son riche bras droit

---

30. Alain Bauer et Xavier Raufer, *La guerre ne fait que commencer*, J.-C. Lattès, 2002, p. 86.

égyptien Ayman al-Zawahiri) est qu'il ne rappelle que très partiellement, dans l'habit de défenseur des pauvres contre les riches dont on l'a paré, les figures révolutionnaires progressistes du siècle d'Ernesto « Che » Guevara ! Cela dit, on pourrait a priori admettre qu'un richissime capitaliste ait décidé de faire fructifier ses affaires dans le but de constituer un trésor de guerre, lequel servirait à frapper le système capitaliste, à faire rendre gorge à ses congénères fortunés et libéraux, à les contraindre à partager avec les désœuvrés. Au fond, une sorte de mécène rouge, de Robin des Bois à l'échelle planétaire, qui financerait généreusement de purs combattants par lui tirés de la misère, nourris, vêtus et armés. Las. L'hypothèse ne tient pas l'ombre d'un instant d'observation, pour deux raisons.

D'abord, il semble qu'à Al-Qaïda, le tiers-monde (ou le « Sud ») pâtit d'une singulière absence de représentation, si rares y sont Vietnamiens, Congolais et autres Haïtiens, tout comme s'y font incroyablement discrets les ressortissants d'autres États pauvres de la planète. Une réalité objective qu'illustre la composition de l'équipe terroriste du 11 septembre : tous ses membres naquirent et grandirent dans des États arabes musulmans[31]. Ils pratiquaient eux-mêmes l'islam, ou plutôt un pseudo-islam perverti en un fanatisme morbide qui correspond à une manière de nihilisme dostoïevskien à la sauce coranique[32]. Si l'on tient néanmoins à demeurer dans le domaine de l'explication de type socio-

---

31. À l'exception d'un homme – Arabe musulman lui aussi – originaire du Liban, État officiellement multiconfessionnel.
32. Sur la dimension nihiliste des terroristes islamistes, lire, d'André Glucksmann, *Dostoïevski à Manhattan,* Robert Laffont, 2002.

économique, alors il faut chercher ailleurs, dans la glaciale
simplicité d'une réalité prosaïque : le 11 septembre 2001, de
jeunes gens aisés se sont suicidés en assassinant plusieurs milliers de civils sur l'ordre d'un richissime homme d'affaires.
Voilà la vérité, crue mais dégagée de sa gangue tiers-mondiste
aussi suave qu'inconséquente. Car, enfin, pourquoi diantre ne
pas s'attarder sur les proclamations et *représentations* réelles
d'Al-Qaïda ? Pourquoi éviter obstinément de lire et d'entendre l'interprétation des commanditaires et exécutants du
meurtre collectif ? Cessons de les identifier à l'aune d'idéologies « maison », compréhensibles pour un Européen car
intégrant à souhait les grilles de lecture politiques apprises
dans les livres d'Histoire de terminale, mais ô combien
dépassées. Ici, il ne s'agit pas d'un Trotski qui eût stigmatisé
la City des affaires. Ben Laden n'a jamais évoqué dans ses
discours parlés et écrits les Twin Towers comme symbole du
capitalisme ou du libéralisme économique. Absence référentielle similaire chez ses affidés. Le *vade mecum* de « la dernière nuit » retrouvé après les attentats dans les bagages en
transit de l'un des terroristes ne fait pas davantage mention
d'un quelconque combat pour une plus grande égalité des
chances, contre le pouvoir de l'argent et l'asservissement des
pauvres. Quant à l'équipe des pirates de l'air, elle ne compte
ni Palestiniens misérables des camps de réfugiés de Gaza ou
du Liban, ni Irakiens accablés par l'embargo onusien, ni
Maliens appauvris par les plans d'assainissement économique du FMI, ni Somaliens en proie à la famine, pas plus
que de Tchadiens victimes de vingt ans de guerre civile
ouverte ou larvée. Pour l'essentiel, on trouve au contraire de
jeunes diplômés à l'avenir professionnel garanti, rejetons
privilégiés de riches familles commerçantes. Sur les dix-neuf
terroristes, quinze naquirent et grandirent comme sujets du

royaume d'Arabie saoudite[33], une pétromonarchie mono-exportatrice affichant, grâce à ses 12,5 % d'exportation du brut mondial, un PIB par habitant parmi les plus élevés du globe ; là-bas, dans ce « Sud », point de bidonvilles ni de camps de réfugiés miséreux, et les seuls exclus sont ces travailleurs asiatiques qu'on y emploie et maltraite, main-d'œuvre bon marché et corvéable à souhait. Du reste, si le milliardaire Ben Laden – vexé et marri que Riyad ait refusé ses services en vue de libérer le très... déshérité Koweït envahi par l'Irak en 1990 – incarnait un philanthrope et un généreux donateur, Palestiniens, Soudanais et autres Somaliens pourraient en témoigner. Or, à moins de considérer qu'inonder la région de textes hanbalites et wahhabites – bellicistes et violemment antichrétiens et antijuifs – constitue un geste de solidarité concrète susceptible d'atténuer la misère, le chômage et l'analphabétisme au sein de ces populations, on ne peut éviter de constater que Ben Laden a consacré davantage d'énergie et de talent à faire fructifier son trésor sur les places financières occidentales qu'à sacrifier à l'un des cinq piliers de l'islam, la *zakat*, solidarité obligatoire due aux pauvres.

2. *Politique du pire*

Enfin, au-delà de sa propre bourse bien pleine et de ses spadassins aisés exécutant ses basses œuvres, la panoplie du héros anticapitaliste se macule d'une ultime tache : avant de devenir l'halluciné apocalyptique qu'on sait, Ben Laden fréquenta assidûment les universités britanniques grâce à l'ensei-

---

33. Les quatre autres provenant de riches familles d'Égypte, des Émirats Arabes unis et du Liban.

gnement desquelles il se dota de solides connaissances en économie, qu'il appliquerait du reste à son profit. C'est dire s'il connaissait parfaitement le système économique mondial, les grands équilibres, les lignes de rupture, les mécanismes de stabilité, les vecteurs de déstabilisation. Le choc du 11 septembre, à la fois sur le plan psychologique (effondrement des valeurs boursières, ralentissement des investissements), et économique immédiat (coût des Twin Towers, pertes financières des sociétés établies au World Trade Center) infligerait, au moins sur le court terme, des effets dévastateurs. Tel était l'objectif visé, j'y reviendrai. Mais dévastateur pour qui ? Pour quelles économies ? Pour quels types de sociétés et d'États ? On peut aisément ne pas posséder un doctorat en économie et savoir que le contrecoup d'une récession entamée aux États-Unis se répercutera de manière virulente sur les économies fragiles d'États en difficulté chronique. Parmi ces économies, celles exportatrices de matières premières non énergétiques subiraient le plus cruellement les conséquences d'un choc en Occident du fait d'une diminution prévisible des achats par les États occidentaux, de la baisse des investissements publics et privés, etc. Ainsi souffriraient, une fois encore, l'Afrique sahélienne et l'Afrique noire, ainsi qu'un certain nombre d'États en voie de développement d'Amérique latine et d'Asie du Sud-Est. La crise provoquée créerait des millions de sans-emploi, sans réelle couverture sociale, et donc en proie à la misère. Un rapport de la Banque mondiale datant du 1er octobre 2001 atteste de cette perspective dramatique, « s'inquiét[ant] du degré de dépendance des économies vis-à-vis d'une reprise de la consommation, et qui décrit une situation catastrophique pour les pays du Sud. L'effondrement des activités liées au tourisme ou à l'exploitation des matières premières, ainsi que le creusement du fossé économique entre les pays, ne serait-ce que par le biais des prêts accordés par les instances mondiales en fonction de l'adhésion ou non à des États à l'effort antiterroriste, pourraient rapidement détériorer la situation des pays les plus pauvres[34] ». Attitude fort peu progressiste en vérité de la part d'un chef de guerre catalogué « défenseur » des pauvres, mais bien politique du pire, façon – là encore – apocalyptique.

Restent les réjouissances plus ou moins spontanées, plus ou moins organisées, et, au mieux, l'indifférence, affichées dans certaines rues africaines, moyen-orientales ou asiatiques à la nouvelle du massacre survenu aux États-Unis le 11 septembre 2001. L'hostilité ou la défiance à l'encontre des États-Unis existent bien à travers la planète, en particulier, en effet, dans certaines sociétés en voie de développement. Souvent, rancœur et reproches tiennent précisément aux profonds déséquilibres socio-économiques considérés, peut-être à juste titre, comme résultant de politiques libérales et égoïstes décidées à Washington[35]. Mais ces sentiments d'iniquité

34. *La Pauvreté en augmentation au lendemain des attentats terroristes aux États-Unis. Des millions d'êtres humains supplémentaires condamnés à la pauvreté en 2002,* Banque mondiale, Communiqué 2002/093/S du 1er octobre 2001.

35. Parfois, dans des sociétés dites « en voie de développement », l'aversion de l'Amérique se nourrit à des sources infiniment moins légitimes qu'une sensation d'injustice sociale. Voici ce qu'écrivait dans le *Literary Weekly* de Damas, immédiatement après les attentats, le président de l'Association des écrivains arabes : « Lorsque les tours jumelles se sont effondrées, j'ai eu le sentiment d'être sorti du fond d'une tombe, comme si je planais au-dessus du symbole mythique arrogant de l'impérialisme américain [...]. Mes poumons se sont remplis d'air pur et j'ai respiré plus profondément que jamais [...], même lorsque je pensais aux innocents enterrés sous les décombres. J'étais consterné que mon humanité ait été souillée par l'Amérique sioniste et le sionisme mondial... » Cité par le Pr. Raphael Israeli, in *Outpost*, février 2002.

ou d'abandon, exprimés au soir du drame, le qualifient-ils
a posteriori ? Autrement dit, le coup porté devrait-il se
« comprendre » parce que des gens s'en réjouissent ? Un coup
porté contre des riches par des pauvres, puisqu'on vit précisément des pauvres s'en réjouir… Le raccourci apparaît saisis-
sant. Injustices et disparités économiques flagrantes existent,
et les Américains y ont leur part de responsabilité ; elles
n'expliquent en rien le carnage du 11 septembre.

Enfin, je n'achèverai pas cette démonstration sans rappeler que le discours du terrorisme, à commencer par les
terreurs fasciste et stalinienne du XXᵉ siècle, s'est souvent
appuyé sur la lutte en faveur des miséreux. À ce niveau
rhétorique, on ne décèle rien de nouveau dans les diatribes
ben ladeniennes ; en revanche, ce qui ne laisse pas de provoquer la stupéfaction, c'est la facilité avec laquelle des
âmes charitables et tiers-mondistes, en Occident, enton-
nent cette argutie destinée à légitimer toute forme de violence islamiste.

Deuxième partie

LA GUERRE ÉTATS-UNIS/AL-QAÏDA

« Celui qui connaît son ennemi et se connaît lui-même mènera cent combats sans risque. »

Sun Tse, *L'Art de la guerre*

A. *Les objectifs*

Il n'est pas d'initiative géopolitique sans un objectif pensé et établi à un moment donné d'une conjoncture particulière. Or si la stratégie, autrement dit la mise en œuvre de toutes les ressources et des meilleurs moyens (au moindre coût) pour atteindre cet objectif, ne peut s'inscrire que dans une dimension rationnelle et cartésienne, l'objectif peut en revanche tout à fait sortir du champ du politique[36].

Certes, le cas de figure se présente rarement ; les chefs d'État ou de groupes idéologiques revendicatifs visent en effet, dans leur immense majorité, des buts plus ou moins pragmatiques – à la manière du grand Clausewitz pensant la guerre comme activité politique particulière s'apparentant à certains égards à une transaction commerciale –, dans la perspective non pas de la destruction totale de

36. Pour une définition de la stratégie : *Dictionnaire de stratégie*, PUF, 2000, sous la direction de Thierry de Montbrial et Jean Klein.

l'adversaire, mais d'une modification des rapports de forces ou de l'obtention de gains politiques, économiques, territoriaux, symboliques, etc. [37]. Mais, en l'espèce, le 11 septembre 2001 aux États-Unis, l'organisation terroriste d'obédience islamiste Al-Qaïda a déclenché une opération belliqueuse s'inscrivant dans la recherche d'un objectif mystique, apocalyptique, définitivement situé hors du politique.

1. *Al-Qaïda : l'Apocalypse*

Cet objectif final correspond à l'ultime victoire (la reine des batailles) de l'Islam sur les « Infidèles », en particulier sur un Occident perçu comme décadent, lâche, féminisé et surtout athée et paganisé, donc même plus digne de se voir accorder le respect théologiquement dû aux religions révélées (judaïsme et christianisme). Au terme de cette lutte eschatologique interprétée comme telle au regard du texte coranique, l'Apocalypse interviendra avec pour corollaire l'adhésion de tous les humains à l'islam.

L'illustration de cette dimension apocalyptique réside dans le nom même de l'organisation cofondée par Oussama ben Laden ; on aurait pu la baptiser Front contre tel impérialisme, tel colonialisme, le sionisme et Israël, les États-Unis, etc. ; autant de catégories conceptuelles intégrant toujours le champ du politique. Or l'organisation criminelle en question s'appelle Front international islamique contre les juifs et les croisés (sous-entendus chrétiens).

---

37. Carl von Clausewitz, *De la guerre,* Perrin, 1999. Pour un commentaire pointu du stratège prussien et l'analyse de la stratégie de manière générale, le meilleur ouvrage est sans nul doute celui d'Hervé Coutau-Bégarie, *Traité de stratégie*, Économica, 1999.

Cette essentialisation d'un adversaire démonisé comme tel, du fait de sa naissance, se retrouve d'une part dans les prêches du vendredi de tout ce que les sociétés musulmanes comptent de mosquées d'obédience wahhabite ou assimilée, d'autre part dans les interventions publiques des dirigeants d'Al-Qaïda. Ainsi, dans son fameux discours enregistré sur la chaîne qatariote Al Jazira, immédiatement avant le début de la riposte américaine en Afghanistan, Ben Laden traitait le président américain de « chef des mécréants [38] ». Pour un islamiste, il sera toujours possible de parlementer ou d'engager une joute ponctuelle avec toutes sortes d'adversaires qu'il aura préalablement affublés de noms d'oiseau, mais pas avec un chef mécréant... Sa vindicte ne vise pas *politiquement* les Israéliens et les Américains, mais *essentiellement* les juifs et les chrétiens, intrinsèquement diabolisés. La logique qu'il entretient, absolutiste, relève de la lutte à outrance, sans compromis, manichéenne et profondément raciste, avec pour seul horizon le paradis éternel aux soixante-dix vierges pour les martyrs de l'islam, l'enfer pour presque tous les autres.

Là encore, on se situe hors du champ du politique, conformément à un objectif supérieur qui échappe à toute possibilité de négociation, à toute demi-mesure. Dans cette logique, frapper à Manhattan avait certes l'avantage du symbole, mais permettait aussi et prioritairement de tuer le maximum de personnes au cœur de l'Occident. Rappelons que, y compris avec l'ayatollah Khomeyni, les autres grands adversaires musulmans de Washington depuis les années 1950 sont systématiquement demeurés

---

38. Discours diffusé le 7 octobre 2001 sur toutes les chaînes de télévision.

hors des discours et surtout des pratiques apocalyptiques :
de Gamal Abdel Nasser à Saddam Hussein en passant par
Mohammar Kadhafi, Omar el Beshir et Yasser Arafat, nul
leader n'a rompu avec un minimum de pragmatisme à
l'égard de la superpuissance américaine[39]. Opposons la
démence à l'implacable rationalité d'un despote contemporain, lui aussi fauteur de guerres et sans scrupules, mais
ô combien politique.

En janvier et en février 1991, au cours de la seconde
guerre du Golfe, le dictateur irakien Saddam Hussein pro-
pulsait trente-neuf missiles sol-sol de type Scud sur Israël,
État pourtant non limitrophe de l'Irak et non partie pre-
nante de la coalition internationale contre Bagdad. Il
s'agissait clairement de provoquer une riposte qui aurait
fait voler en éclats ladite coalition constituée après l'invasion irakienne du Koweït ; quel État arabe aurait risqué de
se confronter, aux côtés objectifs de l'État hébreu, à un
autre État arabe ? Aucun, naturellement. Soumis à
d'intenses pressions américaines, le gouvernement Shamir
décidait finalement de ne pas riposter. Au total, l'offensive
balistique irakienne ne fit, parmi les citoyens israéliens,
« que » deux tués : une personne âgée victime d'une crise
cardiaque lors d'une alerte, et – cruelle et tragique ironie
du sort – une petite Arabe étouffée par le masque à gaz
mal disposé par son père lors d'une autre alerte. Deux
morts de trop, bien entendu, mais néanmoins un bilan

---

39. L'Iran de Khomeyni, aux prises avec le mortel ennemi irakien,
avait su faire preuve de pragmatisme en atténuant ses attaques contre des
intérêts américains, fournitures d'armes israéliennes et américaines obli-
gent... Après le 11 septembre, il allait de soi qu'Al-Qaïda avait définitivement rompu avec tout autre objectif que le grand choc civilisationnel
et religieux entre Islam et Occident judéo-chrétien.

exceptionnellement faible eu égard au nombre d'engins propulsés sur les agglomérations d'Israël. Depuis, à plusieurs reprises, des amis juifs m'ont invité à donner à ce bilan un caractère miraculeux, au sens métaphysique. Par respect, j'ai toujours poliment refusé d'entrer dans ces considérations étrangères à mes convictions. Mais, après l'attaque du 11 septembre, l'occasion m'est donnée de proposer une explication un rien plus… rationnelle à ce bilan (outre qu'il participe aussi du hasard), et de le lier étroitement à la différence abyssale de nature entre les représentations et objectifs ultimes d'un Ben Laden et ceux d'un Saddam. À l'aune de l'entreprise apocalyptique du premier, observons la rationalité du second à travers l'exemple de la guerre du Golfe et des Scud lancés sur Israël.

En frappant l'État hébreu – dont la stratégie de défense consiste en son principe même à riposter en toute circonstance à tout type d'agression, de façon rapide et dissuasive –, Saddam sait parfaitement à quel degré élevé de probabilités il s'expose quant aux représailles, en dépit des pressions herculéennes de George Bush (père) sur Itzhak Shamir. Second élément de l'équation, en forme de certitude cette fois : si la réplique israélienne survient, elle ne prendra nécessairement qu'une dimension conventionnelle, pour des raisons à la fois morales et politiques. Or, sur le plan militaire, une telle riposte n'ajoutera guère aux milliers de tonnes de bombes que l'US Air Force déverse déjà sur les infrastructures irakiennes. En résumé, Saddam joue à qui perd gagne : il prend le risque réel de s'attirer des *destructions* auxquelles il ne pourra faire face, mais des destructions payées en retour par des *gains politiques* tout à fait considérables. Dans la balance des pertes et profits, Saddam y gagne incontestablement. En revanche, le despote de Bagdad sait tout aussi bien qu'en frappant Israël avec des engins non conventionnels, en l'occurrence chargés de gaz toxiques, non seulement la probabilité d'une riposte israélienne passe à 100 %, mais cette certitude se double de celle que la riposte sera qualitativement proportionnée, donc non conventionnelle et, vraisemblablement, nucléaire. Dès lors, la balance s'inverse. Casser la coalition en contrepartie de la vitrification de Mossoul, Kirkouk, voire Bagdad ? Trop coûteux ; l'enjeu n'en vaut plus la chandelle. Les Scud ne transporteront donc que leur charge explosive ordinaire et éviteront systématiquement les zones à fort peuplement arabe israélien comme la Galilée centrale. Surtout, pas un ne tombera sur Jérusalem, qui abrite pourtant toutes les institutions israéliennes et où vivent 450 000 Juifs, et pour cause : que survienne une imprécision de quelques centaines de mètres, et les mosquées de l'esplanade située sur le mont du Temple ainsi que 200 000 Arabes musulmans seront touchés [40]. En définitive, Saddam perdit son pari, au grand soulagement de Washington, et davantage encore des capitales arabes, mais pas son pouvoir ; trop passionné par ce pouvoir, trop jouisseur, trop pragmatique pour tenter l'apocalypse, Saddam… Pour lui, le jeu continue. Pour un Ben Laden, il doit s'interrompre par la mort ici-bas. Rationalité, maîtrise des enjeux politiques, prise de risques militaires calculés, vision à moyen terme du conflit : il y a plus de Clausewitz dans la démarche belliqueuse de Saddam de 1991 que dans celle de

---

40. Seul le ministère de la Défense se trouve à Tel-Aviv. Pour ce qui concerne les dimensions réduites de Jérusalem, la proximité et l'interpénétration des quartiers juifs et arabes, voir mon ouvrage consacré à la Ville sainte, *Géopolitique de Jérusalem,* Flammarion, 2001.

Ben Laden dix ans plus tard. L'homme n'en demeure pas moins l'un des plus sanguinaires potentats que le XXᵉ siècle ait connus ; dictateur cynique et mégalomane, assassin sans scrupules, parjure à sa propre « foi » socialiste, etc. Cependant, tout reste négociable avec lui, certes dans le strict cadre exclusif des rapports de forces brutaux. Nulle tyrannie ne fonctionne autrement.

Les exemples de despotes belliqueux tranchant avec la démence apocalyptique d'un « Ben Laden » sont légion, y compris parmi les chefs d'État considérés comme puisant leur inspiration politique aux sources de l'islamisme. Ainsi de Mohammar Kadhafi, systématiquement accusé de promouvoir le terrorisme dans les années 1970-1980, dont l'expansionnisme méridional s'enlisa dans les sables du Tchad face aux troupes françaises en 1983 et en 1985, et dont le QG subit un raid aérien anglo-américain en avril 1986, qui semble avoir compris la leçon : il privilégie désormais des échanges commerciaux avec les Occidentaux, moyen plus sûr pour développer une économie sclérosée que l'explosion en vol d'avions de ligne au nom de l'islam…

S'interdire de penser l'objectif de l'adversaire comme échappant complètement au champ du politique revient à s'empêcher d'en comprendre les mécanismes, les forces et faiblesses, et, au fond, de l'entraver efficacement. Comparaison n'est pas raison, mais nulle entrave intellectuelle ne doit interdire le rappel historique suivant : le dernier exemple en date d'une démarche apocalyptique fixée par un dirigeant politique d'importance fut donné par une initiative hallucinée d'Adolf Hitler en octobre 1942, peu après sa prise de fonction comme chef d'état-major de toutes les forces armées du Reich. Alors que commençait à faire rage, à l'Est, une gigantesque lutte dont il apparaissait évidemment qu'elle serait décisive pour l'issue de la guerre, et qu'à Stalingrad la VI⁰ armée de Von Paulus manquait cruellement de renforts, le Führer décidait d'inverser l'ordre de priorité des convois ferrés ; désormais, les déportés raciaux conduits aux camps d'extermination passeraient en priorité absolue devant les convois de soldats allemands en partance pour le front… Logique antistratégique et parfaitement irrationnelle servant un but méprisant la réalité et tendant précisément vers cet Armaggedon recherché par un Ben Laden [41]. La mort pour la mort. Tuer le plus possible d'hommes, de femmes et d'enfants (y compris de nombreux musulmans, comme à Dar es-Salaam en 1998), et Allah reconnaîtra les siens ! Tuer bien au-delà des symboles forts, des concepts creux et des grandes causes [42].

2. États-Unis : le maintien de la suprématie

On a vu qu'Al-Qaïda, dans sa guerre contre les États-Unis – et l'Occident judéo-chrétien de manière générale – entretenait un objectif relevant de l'apocalyptique. A contrario, l'objectif stratégique américain se sera inscrit jusque-là dans un pragmatisme sans faille, si l'on fait abstraction d'un verbe présidentiel volontiers manichéen et invoquant le divin.

41. Il convient de rappeler que l'ultime directive militaire d'Hitler, en mars 1945, matérialisée par le Télégramme 71, consistait à anéantir tout moyen de subsistance pour le peuple allemand, rendu responsable de sa propre défaite et ainsi condamné à un sacrifice collectif de grande ampleur. Le dément se supprimera lui-même quelques semaines après. À certains égards, ce type de démarche propitiatoire et nihiliste pourrait évoquer les massacres de civils musulmans par les islamistes du GIA en Algérie.

42. Pour un islamiste radical, tuer des « innocents » revient à les expédier au paradis d'Allah avant qu'ils ne se corrompent, et les faire souffrir (cf. l'Algérie) leur permet d'atteindre mieux et plus vite encore la félicité. Quant à ceux qui sont « coupables », c'est une action méritoire que de les occire…

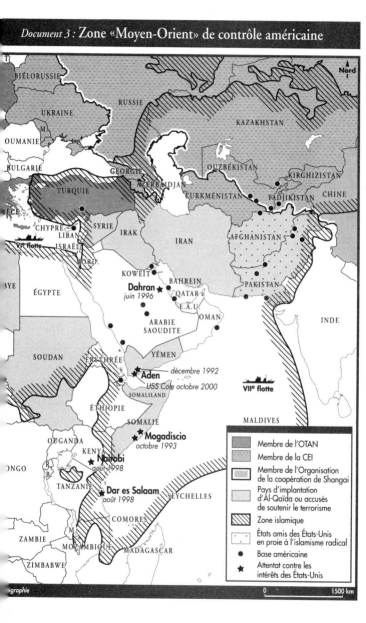

Document 3 : Zone «Moyen-Orient» de contrôle américaine

Légende :
- Membre de l'OTAN
- Membre de la CEI
- Membre de l'Organisation de la coopération de Shangai
- Pays d'implantation d'Al-Qaïda ou accusés de soutenir le terrorisme
- Zone islamique
- États amis des États-Unis en proie à l'islamisme radical
- Base américaine
- Attentat contre les intérêts des États-Unis

Dahran juin 1996
Aden décembre 1992 — USS Cole octobre 2000
Mogadiscio octobre 1993
Nairobi août 1998
Dar es Salaam août 1998

VIe flotte
VIIe flotte

0   1500 km

Dans l'évolution des grandes tendances stratégiques américaines, le 11 septembre demeurera sans doute comme une césure (encore que probablement moins profonde qu'on a bien voulu le croire), mais certainement pas comme une rupture de l'objectif géopolitique majeur : incarner l'unique superpuissance de la planète. Et le fait, au fond relativement banal, qu'un ancien allié objectif contre l'adversaire d'hier (l'URSS) connut une assez soudaine métamorphose en ennemi acharné à anéantir coûte que coûte ne modifie en rien cet objectif primordial. Paradoxalement, il semble d'ailleurs probable qu'après la première victoire sur Al-Qaïda – du moins l'écrasement de ses protecteurs talibans d'Afghanistan de l'automne 2001 à l'été 2002 – Washington ait encore renforcé sa large prédominance politique, économique et militaire sur la planète.

À l'échelle du Moyen-Orient et de l'Asie centrale, c'est la stabilité des régimes en place qui demeure l'objectif premier, précisément du fait que Washington n'y a jamais disposé d'autant d'alliés et d'aussi peu d'ennemis[43]. Or, afin de préserver, d'une part, la stabilité de régimes arabo-musulmans fragilisés par la propagande islamiste (Égypte, Pakistan…) et, d'autre part, la fidélité de leurs alliés (Arabie saoudite, Turquie…), les États-Unis doivent démontrer non seulement une capacité de riposte militaire efficace et adaptée à tout

---

43. Hormis l'Irak neutralisé et la faible Syrie, et sauf à considérer l'Iran comme l'ennemi irréductible qu'il a pu incarner à l'époque khomeyniste, les États-Unis ne comptent guère d'États réellement hostiles entre le Nil et le Gange, puisque même le Soudan et le Yémen semblent pondérer leur positionnement traditionnellement antiaméricain. Parallèlement, Washington s'appuie sur de solides alliances avec Israël et la Turquie – les deux principales puissances militaires du Moyen-Orient –, ainsi que, dans une moindre mesure, sur l'Égypte et l'Arabie saoudite.

coup porté, mais aussi et surtout une détermination sans faille dans cette riposte. C'est à la charnière des deux nécessités – ne pas brusquer les opinions arabo-musulmanes tout en démontrant ostensiblement la réalité du rapport de forces – que l'objectif américain se situait au lendemain des attentats cataclysmiques de septembre 2001. En l'occurrence, il ne s'agissait plus alors de menacer Aden de représailles au lendemain d'un attentat contre un bâtiment de la marine américaine, ni de détruire au Soudan un établissement pharmaceutique présenté d'abord comme une usine de produits chimiques[44]… Le caractère à la fois massif, meurtrier et humiliant de l'offensive terroriste – certains ont pu le désigner comme le Pearl Harbor du terrorisme – ne souffrait aucun autre objectif que la destruction militaire complète d'Al-Qaïda, et, en cas de non-coopération dans ce but, de leurs protecteurs talibans. À cet égard, il convient de rappeler que la rhétorique employée par le président George W. Bush lors de ses différents discours télévisés – assez similaire dans sa nature manichéenne à celle de Ben Laden – incarna très tôt une rhétorique de combat à mort, stigmatisant la cible et annonçant son sort sans aucune ambiguïté. L'objectif ainsi posé, une stratégie d'isolement et des tactiques d'offensive allaient se mettre en place pour l'atteindre.

---

44. Cf. les représailles américaines après l'attentat contre l'USS *Cole*, et les attentats à l'explosif contre les ambassades américaines à Nairobi et Dar es-Salaam, en août 1998.

B. *Les stratégies*

Tenter d'atteindre un objectif politique implique de poursuivre à la fois une stratégie – tendance lourde impliquant du temps et des moyens en quantité – et des tactiques – soit des initiatives plus ponctuelles dans l'espace et le temps nécessitant des moyens modestes et visant des buts limités, mais invariablement orientées dans le même sens que la stratégie d'ensemble.

En premier lieu, la stratégie employée par Al-Qaïda pour parvenir à son objectif suprême, le choc apocalyptique des civilisations, consistait en une déstabilisation globale. C'est généralement la logique adoptée dans ce type de confrontations, celle du faible au fort ou, en l'espèce, du fou au fort. Au pire, la déstabilisation d'un ou plusieurs régimes favorables à l'ennemi permet une redistribution des rapports de forces, même localisés et partiels, en sa défaveur. Au mieux, elle permet de s'adjoindre des alliés dans la lutte annoncée ou entamée. En 1990-1991, Saddam Hussein avait joué cette même carte, comptant que le ralliement des masses arabes à sa cause déstabiliserait de l'intérieur les régimes arabes modérés ou procoalition.

1. *Le chaos, le pétrole, le nucléaire : Al-Qaïda*

Mais, dans le cas d'Al-Qaïda, le chaos s'inscrivait dans une manœuvre extrêmement précise et méthodique moins axée sur les masses que ce que le dictateur de Bagdad avait tenté en son temps. Pour la clique de Ben Laden, il apparaissait en effet improbable que les foules arabes manifestassent leur réprobation de la riposte occidentale en s'attaquant à leur gouvernement respectif, dans la mesure où, précisément, aucun d'eux n'avait envoyé de contingents soutenir la contre-offensive américaine en Afghanistan. En outre, alors qu'en 1991 un État arabe subissait effectivement l'invasion de troupes internationales (surtout américaines), l'initiative militaire se concentrait cette fois sur un pays musulman, certes, mais non arabe. Aussi Al-Qaïda va-t-elle jouer – et cela dès avant le 11 septembre – sur une déstabilisation par le « haut », avec pour cibles des États proaméricains dotés de ressources géostratégiques essentielles : l'Arabie saoudite pour le pétrole, et le Pakistan pour l'arme nucléaire. En dépit du fondamentalisme intérieur (stricte application de la charia au royaume saoudien, multiplication des écoles coraniques au Pakistan) et extérieur (soutien financier de Riyad à tous les groupes islamistes sunnites, soutien d'Islamabad au régime taliban), ces deux États étaient considérés par Al-Qaïda comme corrompus du fait de leur étroit partenariat avec Washington. En frappant massivement et subitement la redoutée et superpuissante Amérique, Al-Qaïda escomptait, de façon simultanée, subjuguer les populations civiles pakistanaises et les élites militaires dans les deux pays, et provoquer ainsi la chute des hommes, voire des régimes, en place. Au Pakistan, le fragile et impopulaire pouvoir du général Pervez Moucharraf devait succomber à une insurrection issue des milieux militaires et des renseignements, efficacement infiltrés par des réseaux islamistes durs, insurrection qui aurait au moins reçu le soutien des Pachtounes pakistanais, tandis qu'à Riyad le prince héritier Abdallah infléchirait radicalement la politique proaméricaine de son prédécesseur à la tête du royaume saoudien, son frère le roi Fahd, malade. Dans le cas saoudien, on a vu que l'ex-sujet

Ben Laden, déchu de sa nationalité en 1994 pour activités subversives et séditieuses, considérait l'appel de Riyad à l'aide militaire américaine face à l'Irak, en août 1990, comme une haute trahison et un acte sacrilège au regard des lois de l'islam ; des troupes d'Infidèles, comprenant de surcroît des juifs et faisant manœuvrer des femmes « impures », n'évoluaient-elles pas au sein d'un *waqf* constitutionnellement islamique[45] ?

Dans le scénario idéal, Abdallah d'Arabie, travaillé par d'autres princes influents et pro-islamistes proches d'Al-Qaïda, décidait une diminution drastique de l'approvisionnement en brut des États occidentaux, États-Unis au premier chef, exigeant en outre le démantèlement immédiat des bases aéronavales américaines sur le sol saoudien[46]. Dans un second temps, notamment après le 11 septembre, le président pakistanais se voyait renversé par un général du

45. En 1975, Riyad a décrété l'ensemble du territoire saoudien Lieu de culte. Depuis, les règlements en vigueur dans une mosquée sont censés s'appliquer strictement à toutes les personnes se trouvant sur toute parcelle du territoire national, et non plus seulement à La Mecque et Médine. Entre autres règles de principe, les juifs y sont formellement interdits, les chrétiens (et moins encore des païens et autres polythéistes) ne peuvent y prier, les femmes doivent respecter scrupuleusement la charia, autrement dit être couvertes, ne pas conduire, ne pas circuler sans leur mari, père ou frère, l'alcool est prohibé, etc. Il va de soi que dans les bases américaines d'Arabie ces règlements ne s'appliquent pas, d'où la fureur des islamistes.

46. Le chef du renseignement militaire saoudien, le prince Turki al-Fayçal, connu pour sa mansuétude à l'égard d'Al-Qaïda, fut brutalement limogé quelques jours à peine avant le 11 septembre par Abdallah, ce qui tend à renforcer l'hypothèse selon laquelle, au cœur du pouvoir politique et militaire à Riyad, Ben Laden pouvait compter sur des amitiés, voire des complicités efficaces, notamment chez les Salafistes. Abdallah aura ainsi finalement opté, à l'instar de ses prédécesseurs, pour le pragmatisme et la stabilité dans le giron américain.

type Zia ul-Haq (nom de l'ancien dictateur pakistanais qui rétablit la charia en 1988 et qui se présentait comme un imam-soldat), forcément lié aux services secrets (Inter Service Intelligence) créateurs des talibans, lequel général non seulement renforçait considérablement l'aide logistique et militaire à Al-Qaïda et au régime taliban d'Afghanistan, mais se proposait aussi d'utiliser l'arme nucléaire contre des cibles américaines ou pro-occidentales dans la région, en partenariat avec Ben Laden. Immédiatement après l'essai nucléaire pakistanais réussi du 28 mai 1998, ce dernier n'avait-il pas triomphé en ces termes : « Les essais nucléaires d'Islamabad ont changé l'équilibre des forces, alors que les pays impies ont cherché à écarter les musulmans de la possession de l'arme atomique[47] » ? L'arme énergétique additionnée à l'arme nucléaire... Objectivement, il n'est pas certain que la réussite de ce double plan eût constitué un triomphe définitif pour Al-Qaïda, d'une part parce que, à l'inverse du schéma d'utilisation de l'arme du pétrole qui avait prévalu en 1973 et en 1974, les sources d'approvisionnement en brut sont assez diversifiées à notre époque, d'autre part parce que les vecteurs du nucléaire pakistanais ne permettent de frapper que les voisins directs d'Islamabad : Iran, Afghanistan, Chine et Inde, ainsi que le Tadjikistan, non limitrophe, mais très proche. Toutefois, s'agissant de ce but de guerre ben ladenien, à l'heure où j'écris ces lignes, il demeure pris très au sérieux par les États-Unis en raison de l'exposition possible de certaines de leurs flottes de guerre et autres bases aéronavales à la menace atomique pakistanaise. C'est pourquoi, immé-

---

47. Cité *in* Amir Jahanchahi, *Vaincre le IIIe totalitarisme*, Ramsay, 2001, p. 24.

diatement après le 11 septembre, l'US Air Force a entamé des entraînements conjoints avec l'Israel Air Force afin de bénéficier de l'expérience de celle-ci dans la destruction de cibles nucléaires au sol[48]. Dans les deux cas, saoudien et pakistanais – et en dépit d'un flottement excessivement inquiétant dans les sphères dirigeantes à Islamabad au cours des frappes anglo-américaines contre les talibans –, le régime aura finalement conservé son cap, sans succomber aux sirènes apocalyptiques. Ce qui ne signifie pas qu'il n'y a pas eu fragilisation interne[49].

Le coup terrible du 11 septembre, en plus (et en plus seulement) de sa dimension fondamentalement meurtrière, devait servir le double plan « pakistano-saoudien » par la certitude de la riposte. Pousser à la faute les États-Unis en attirant leur bras vengeur, les entraîner dans une réplique foudroyante et disproportionnée, en particulier aux yeux des masses arabo-musulmanes travaillées par le fondamentalisme ; tel était le piège tendu par Ben Laden au « chef des mécréants » George W. Bush, le choc qui devait engendrer le basculement attendu au moins à Riyad et à Islamabad. Kaboul ravagée, avec force images d'écoles ou d'hôpitaux incendiés, ou Bagdad écrasée sous un tapis de bombes, peut-être même Téhéran ciblée par une attaque aveugle de Washington ; autant de variantes paraissant invraisemblables a posteriori mais qui furent néanmoins pensées comme tout à fait probables. Car plus les Américains tueraient de musulmans en représailles, plus précaires

48. En juin 1981, des chasseurs-bombardiers israéliens avaient anéanti la centrale nucléaire irakienne Osirak.

49. Comme l'illustre la multiplication des attentats contre des policiers pakistanais et contre des civils étrangers (cf. l'attentat meurtrier du 8 mai 2002 contre des ingénieurs militaires français).

se trouveraient non seulement les deux pouvoirs mentionnés plus haut, mais également des régimes alliés de Washington, tels celui d'Hosni Moubarak et d'Abdallah II. En Égypte et en Jordanie, la fragilisation intérieure accélérerait d'autant plus la déstabilisation de la région qu'Israël leur est contigu et qu'elles entretiennent officiellement un état de paix avec l'État juif. À cet égard, contraindre Le Caire et Amman à donner toujours plus de gages à leurs opposants islamistes respectifs aboutirait à vider la paix avec l'« entité sioniste » de toute substance et à parvenir jusqu'au précipice, comme en juin 1967[50].

La ligne stratégique d'Al-Qaïda n'avait rien de stupide, mais elle a échoué. La raison principale de cet échec tient à n'en pas douter à la démence même de l'objectif du groupe : le chaos. Un horizon irrationnel qui a fini par effrayer jusqu'aux plus fidèles soutiens, y compris chez les extrémistes « conventionnels » !

---

50. Dans un ouvrage fort instructif intitulé *Ma « guerre » avec Israël*, Albin Michel, 1968, le roi Hussein de Jordanie relatait les conditions de surenchère dans lesquelles le Proche-Orient avait basculé durant la guerre des Six-Jours, alors qu'aucun des adversaires n'avait réellement souhaité ce conflit.

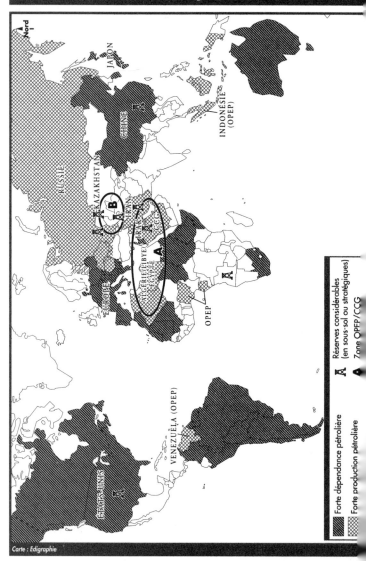

Nord

JAPON

CHINE

RUSSIE

KAZAKHSTAN

INDONÉSIE
(OPEP)

EUROPE

IRAN

ARABIE

CCG

ALGÉRIE/LIBYE/
ÉGYPTE

A

B

OPEP

ÉTATS-UNIS

VENEZUELA (OPEP)

Forte dépendance pétrolière

Forte production pétrolière

Réserves considérables
(en sous-sol ou stratégiques)

Zone OPEP/CCG

Carte : Edigraphie

2. *Une erreur stratégique depuis vingt ans ? les États-Unis*

Autre stratégie en profondeur, celle des États-Unis, avec cette question lancinante depuis le 11 septembre 2001 : y a-t-il eu à Washington politique du pire, stratégie irresponsable de coopération avec l'islam radical d'Asie centrale ? D'abord, il est impératif de rappeler que les Américains n'ont pas *inventé* l'islamisme. Sans revenir nécessairement aux *hashashin* ou à la création du wahhabisme au XVIIIe siècle, on doit noter l'existence d'un corpus de représentations et de textes assimilables aux racines des formes les plus virulentes de l'islamisme contemporain, qui existait bien avant la déclaration d'Indépendance des États-Unis d'Amérique. Son développement – ou sa reviviscence – par un ensemble d'actes et professions de foi politico-religieuses a été observé dès la fin des années 1920, notamment avec la fondation en Égypte des Frères musulmans. À l'époque, les États-Unis se situent encore bien loin, politiquement et économiquement, du Proche-Orient. En revanche, il n'est pas contestable que Washington a eu dès le commencement des années 1980 les yeux de Chimène pour différents groupes islamistes naissants, en particulier en Asie centrale. Cette stratégie était alors prônée par d'influents spécialistes des relations internationales tels que Zbigniew Brzezinski et Henry Kissinger, ainsi que par la puissante Rand Corporation. À cet égard, les expressions « apprentis sorciers » et « créateurs de Ben Laden » font à jamais partie intégrante de l'après-11 septembre. Combien d'observateurs les ont employées entre tant d'autres de même nature ? Les Américains auraient-ils forgé le monstre sans s'apercevoir que celui-ci, tel le Golem, se retournerait contre eux ? En prenant un tant soit peu de recul, on s'aperçoit que, là encore, les choses se révèlent sans doute plus complexes.

Document 5 : Asie centrale : l'enjeu des pipelines

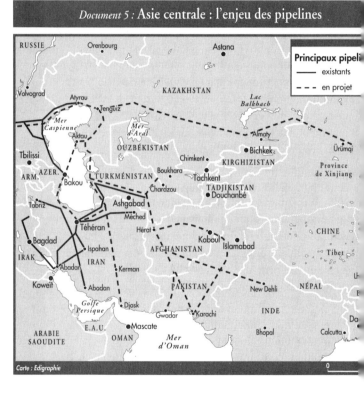

Carte : Edigraphie

Depuis 1947, les États-Unis poursuivent l'objectif suprême d'affaiblir le régime soviétique et d'endiguer la progression du communisme dans le monde. En 1979, lorsque les armées soviétiques pénètrent en Afghanistan, l'urgence d'atteindre cet objectif consubstantiel à l'antagonisme soviéto-américain se renforce sous la conjonction de deux facteurs : un rapport de forces sans cesse plus défavorable face à l'URSS et l'avènement à la Maison-Blanche de Ronald Reagan. Officiellement, il s'agit pour Moscou de soutenir le régime communiste en place à Kaboul face à la sédition… Incapable d'anéantir la résistance des différents groupes armés afghans, l'armée soviétique se retire définitivement en 1988-1989, après neuf années d'une guerre acharnée ; plusieurs dizaines de milliers de soldats soviétiques et au moins autant de combattants afghans et assimilés ont péri, ainsi que des centaines de milliers de civils afghans, et plusieurs millions de réfugiés s'agglutinent hors des frontières.

Lorsque les divisions blindées soviétiques pénètrent en Afghanistan, les États-Unis viennent de traverser une large décennie 1967-1979 caractérisée par un recul géostratégique très net. Au Moyen-Orient, où le régime allié du Shah d'Iran connut l'effondrement au profit de la cryptothéocratie de l'ayatollah Khomeyni, et où – à l'exception d'Israël et de la Turquie – Washington ne dispose plus du moindre allié face à ceux de Moscou (Syrie, Irak, Yémen, Égypte jusqu'en 1972, etc.) ; en Asie centrale et méridionale, où seuls le Pakistan et la Thaïlande paraissent encore bien disposés ; en Amérique latine, où des mouvements réformistes et révolutionnaires castristes ou maoïstes menacent les régimes autoritaires alliés ; en Afrique subsaharienne, australe et orientale, où la présence économique et militaire française constitue l'ultime rempart à la progression prosoviétique dans de nombreuses zones (pression pétrolière arabe, activisme de la Libye, etc.) ; en Europe même, où la contestation pacifiste et tiers-mondiste exerce une pression politique permanente sur les gouvernements pour qu'ils quittent le commandement intégré de l'OTAN. Enfin, la crise économique chronique provoquée par le choc pétrolier de 1973-1974 touche plus durement le système libéral occidental que l'échafaudage du bloc de l'Est. Sur la période, des « succès » tels que le réchauffement sino-américain (1971), l'écrasement de Salvador Allende au Chili (1973) ou la paix israélo-égyptienne de Camp David (1978) n'équilibrent guère le glissement calamiteux des rapports de forces entre les deux supergrands. Par ailleurs, en liaison avec ce recul général, mais surtout fruit du désastre vietnamien (1967-1975), un doute profond traverse la société américaine quant au rôle et à la place des États-Unis dans le monde. C'est dans ce contexte qu'à Washington le démocrate Jimmy Carter cède son fauteuil de président au républicain Ronald Reagan. À partir de sa prise de fonctions, en janvier 1980, cet ultraconservateur n'aura de cesse – et jusqu'au terme de son second mandat, en 1988 – d'inverser la tendance : augmentation substantielle du budget militaire, inauguration du programme dit de « guerre des étoiles », soutien tous azimuts aux alliés (Israël au Liban, 1982), frappes ou interventions militaires directes (Grenade, 1983 ; Libye, 1986…), etc.

Et l'Afghanistan.

Car l'invasion soviétique de décembre 1979 ne constitue pas réellement une menace d'envergure pour Washington ; certes, l'allié pakistanais y perd en profondeur stratégique et s'en plaint, mais l'Afghanistan ne représente par ailleurs qu'un enjeu énergétique, économique et militaire à l'époque assez secondaire [51]. En revanche, dans la perspective reaganienne de contre-offensive générale, l'invasion maladroite dans cet environnement humain et géographique hostile offre un angle d'attaque exceptionnellement intéressant : non seulement les Américains vont pouvoir infliger à l'Armée rouge des pertes cruelles en armant, entraînant et équipant les combattants antisoviétiques, mais encore cette stratégie indirecte ne coûtera pas un *boy* ; or le legs traumatique vietnamien interdit à cette époque, opinion publique oblige, toute implication coûteuse en hommes hors du strict champ d'application de la défense des « intérêts vitaux ». Mais on doit aller au bout de la logique : quitte à jouer la carte de l'affaiblissement de l'ennemi soviétique par son flanc exposé au harcèlement afghan, autant l'exploiter complètement en aidant ceux parmi les assaillants de la résistance qui semblent les plus déterminés, les plus combatifs (dont le plus virulent parmi les chefs afghans islamistes, Gulbuddine Hekmatyar), souvent antagonistes entre eux. Il faut faire des choix. On soutient logiquement les plus efficaces pour harceler l'Armée rouge et les moins susceptibles de compromis avec Moscou. Dans cette optique, les *moudjahidine* se réclamant d'un islam pur, radical, intransigeant conviennent fort bien ; leur discours très violemment antiathée ressemble à celui, à peine moins moraliste, d'un président, de sénateurs et de conseillers américains généralement très croyants eux-mêmes. On combat le même « empire du

51. En matière de géostratégie, la dimension énergétique de l'Afghanistan s'est accrue depuis l'accession à l'indépendance des républiques musulmanes ex-soviétiques, dont plusieurs possèdent des sous-sols regorgeant d'hydrocarbures.

mal », le même « satan athée ». Et on en triomphe. Car si la débâcle soviétique en Afghanistan n'a pas à proprement parler provoqué la chute de l'URSS, elle a contribué à la précipiter. Et aux esprits chagrins qui condamnent a posteriori cette alliance avec des forces effectivement obscurantistes, on rappellera que cette disparition de l'empire poststalinien et l'avènement de la démocratie à Moscou représentaient non pas un caprice ou un fantasme américain, mais un espoir non seulement pour des centaines de millions de personnes à l'Est, mais encore pour nous autres, Européens de l'Ouest.

Jusque-là, n'en déplaise aux inconditionnels détracteurs des États-Unis, on serait bien en peine de déceler une erreur stratégique lourde. Eût-il donc fallu que les Américains ne profitassent guère de cet angle d'attaque inespéré contre l'URSS de Brejnev ? Répétons-le : l'objectif suprême consistait alors à affaiblir et – mieux encore – à abattre le régime au pouvoir en Russie et dans les provinces et républiques satellites. Au service de cet objectif – qui correspondait en l'occurrence à soutenir l'application du droit international dans la mesure où il y avait eu invasion et occupation – et de cette fin stratégique en soi, l'Amérique de Ronald Reagan, puissance démocratique, devait engager tous les moyens à son service.

Nulle erreur stratégique non plus dans la poursuite du soutien logistique aux groupes de combattants victorieux, une fois l'armée soviétique défaite en 1988. Car l'Afghanistan libéré de l'Armée rouge, et bientôt de toute influence russe, encore fallait-il que Washington comblât le vide géopolitique, en fait une anarchie tribale, qui menaçait la stabilité du partenaire privilégié dans la région : le Pakistan. Cet État musulman fortement peuplé et soumis au régime dictatorial et islamisant du général Zia ul-Haq, voisin de l'Inde, de l'Iran, et doté d'une large fenêtre maritime sur l'océan Indien, avait exercé d'intenses pressions sur Washington pour disposer à Kaboul d'un régime ami. En 1996, au cours de la guerre civile qui faisait rage autour de Kaboul depuis plusieurs années déjà entre chefs tribaux afghans, l'administration Clinton accepta donc de l'allié pakistanais qu'il propulse dans son arrière-cour afghane les fameux talibans, ces étudiants en théologie qui n'avaient d'étudiants que le nom, formés dans les écoles coraniques pakistanaises *(madrasa)* par tout ce que le monde sunnite compte d'enseignants islamistes fanatiques.

À la fois comme Pachtounes pour la plupart d'entre eux – l'ethnie pachtoune étant commune au Sud afghan et au Nord pakistanais – et comme islamistes radicaux, les talibans représentaient les adversaires parfaits du maître de Kaboul, le commandant Massoud, un Tadjik hostile à l'obscurantisme des talibans, soutenu par une coalition septentrionale mais également apprécié des chancelleries européennes pour sa (très) relative modération. En effet, les talibans prirent le pouvoir à Kaboul et conquirent la quasi-totalité du territoire afghan, imposant une férule théocratique barbare à la population, aux femmes en particulier, férule d'autant moins supportable qu'elle fut perçue comme liée à une occupation arabe en terre afghane. L'erreur américaine, plus tactique que stratégique, interviendra plus tard.

Document 6 : Afghanistan, contexte physique

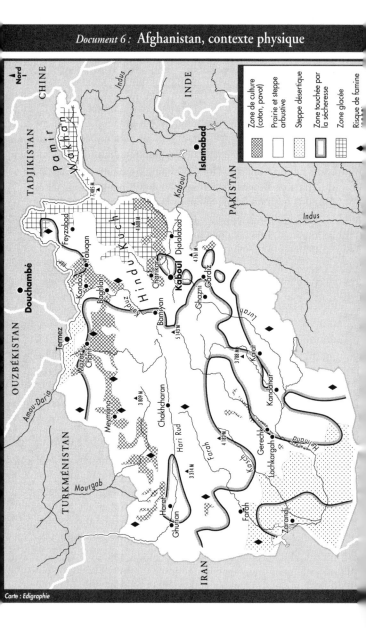

Carte : Edigraphie

C. *Les tactiques*

1. *Le fort au faible*

Désigné comme ennemi public numéro un dès le lendemain des attentats, Ben Laden devait impérativement être
isolé de ses éventuels soutiens étatiques, et surtout de ses
réseaux aux frontières de l'Afghanistan. Pour ce faire,
Washington va peser de tout son poids politique et financier
sur le Pakistan d'une part, les républiques musulmanes ex-
soviétiques d'autre part.

État allié aux États-Unis depuis l'invasion soviétique de
décembre 1979, le Pakistan constitue une pièce maîtresse du
dispositif américain anti-Al-Qaïda ; à grand renfort de promesses de moratoire sur les dettes publiques (considérables)
et d'annulation des mesures de rétorsion prises, en juin
1998, à la suite des essais nucléaires pakistanais, l'administration Bush convainc le président Moucharraf de fermer hermétiquement sa longue frontière avec un Afghanistan pourtant dirigé par les talibans pachtounes, milice forgée à
l'origine par… les services secrets pakistanais. Les menaces
directes proférées par l'encombrant protégé du régime
taliban, Ben Laden, à l'encontre d'Islamabad fournissent un
prétexte commode à l'abandon des alliés et à une coopération tous azimuts avec le Pentagone. Périlleuse, car ultra
impopulaire au sein de la partie pachtoune et pro-islamiste
du pays, la politique du président Moucharraf s'inscrivait
aussi dans le cadre de la menace américaine de substituer
l'Inde au Pakistan comme allié dans la région, avec tout ce
que ce changement eût inclus de manque à gagner en
matière d'aide économique, financière et technologique pour
une économie déjà délabrée. Du reste, à chaque accroc amé-

ricano-pakistanais au cours de la période de riposte américaine, New Delhi rappelait Washington à son bon souvenir
en bombardant à l'artillerie lourde les lignes pakistanaises sur
le front du Cachemire ! En définitive, Islamabad aura
emprunté, avec succès, la voie étroite et dangereuse de
l'alliance américaine et de l'abandon de sa création talibane en
place à Kaboul, bravant les risques réels d'une insurrection
populaire et, peut-être, d'un renversement militaire par un
coup d'État d'inspiration islamiste. Pour combien de temps ?

Au nord, les trois républiques du Tadjikistan, d'Ouzbékistan et du Turkménistan, indépendantes bien que sous
l'influence plus ou moins directe de Moscou, ont également
et immédiatement rencontré la sollicitude des États-Unis en
guerre. Frontières moins longues et mieux surveillées ; très
faible proportion dans ces zones frontalières de population
pachtoune (sur-représentée chez les talibans) ; présence de
l'Alliance du Nord à proximité du Tadjikistan ; crainte chez
ces États d'une déstabilisation intérieure par l'infiltration de
militants d'Al-Qaïda... ; si Washington avait moins à gagner
là qu'au Pakistan, il demeurait primordial de tenter d'obtenir
davantage qu'une simple neutralité bienveillante. Commen-
cées dès le 17 septembre, les négociations américano-ouzbèkes
allaient bientôt conduire – avec l'aval intéressé de Moscou –
à l'utilisation par l'armée américaine d'une base militaire
désaffectée près de Termez, non loin de la frontière avec
l'Afghanistan, preuve irréfragable et illustration de la détermination américaine à éradiquer Al-Qaïda en l'isolant tout à
fait. Seulement quelques années auparavant, qui eût poussé
la présomption jusqu'à imaginer une présence militaire américaine substantielle et résolument offensive à quelques centaines de kilomètres des cités ex-soviétiques de Tachkent et
Duchanbe, au cœur de l'Asie centrale soviétique ?

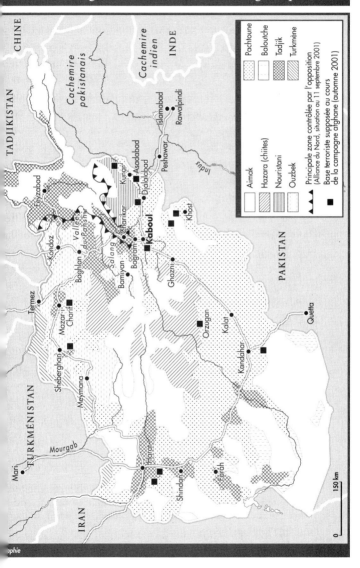

Légende :

Pachtoune
Baloutche
Tadjik
Turkmène
Aimak
Hazara (chiites)
Nouristani
Ouzbek

▲▲ Principale zone contrôlée par l'opposition (Alliance du Nord, situation au 11 septembre 2001)

■ Base terroriste supposée ou au cours de la campagne afghane (automne 2001)

Une fois obtenue l'assurance que les principaux cols et passes permettant l'accès à l'Afghanistan sont neutralisés, Washington développe un plan d'action impliquant au premier chef l'Alliance du Nord, force hétéroclite antitalibane retranchée dans la vallée du Panchir, et quelques poches isolées en territoire ouzbek, tadjik et hazara (chiite). Numériquement modeste, affaiblie par l'assassinat de Massoud, détachée de la majorité pachtoune du pays, l'Alliance du Nord joue un rôle tout à fait irremplaçable dans le scénario américain ; étant exclu que des troupes de GI aillent subir les effets catastrophiques d'une invasion du pays, le Pentagone compte s'appuyer sur la légitimité dont seule une force militaire locale peut jouir auprès de la population, y compris de certains talibans renégats. On dispensera ainsi avec prodigalité armes, munitions, vivres et carburants à ce levier militaire interne à l'Afghanistan.

Par ailleurs, toujours à l'appui de leur stratégie globale d'isolement d'Al-Qaïda en vue de sa destruction, les États-Unis doivent impérativement obtenir le soutien de leurs alliés arabo-musulmans[52]. Or, au contraire du scénario de 1990 qui avait consisté en une agression caractérisée d'un État arabe musulman par un autre État arabe musulman – lequel scénario avait légitimé une intervention, même symbolique, de militaires musulmans aux côtés de la coalition occidentale contre l'Irak –, la situation en 2001 présente un aspect fondamentalement différent : c'est une

---

52. Finalement, seule la Turquie enverra, au terme des combats soixante techniciens militaires, à des fins de maintenance, auprès des troupes américaines stationnées à Mazar-e-Sharif. Il convient toutefois de rappeler que la Turquie se présente comme un État constitutionnellement laïc, et que son régime est officiellement allié aux États-Unis dans le cadre de l'OTAN.

cible cette fois occidentale qui a été atteinte par une force arabo-musulmane. En d'autres termes, aucun régime musulman ne peut se risquer à soutenir les Américains dans la réplique. C'est la raison pour laquelle, d'une part, la coalition anti-Al-Qaïda ne sera composée, sur le terrain, que de forces américaines, britanniques dans une moindre mesure, et françaises de façon très marginale, et, d'autre part, Washington se contentera d'une neutralité bienveillante de la part des capitales arabes. Or, même cette simple neutralité, acquise dès les premières frappes américaines à la fois à la Ligue arabe et à l'Organisation de la conférence islamique (OCI), doit se payer de promesses d'action autour de la question palestinienne[53]. Ainsi entendra-t-on le président Bush évoquer la nécessité de voir se créer un État palestinien et rappeler le caractère incontournable des résolutions 242 et 338 du Conseil de sécurité de l'ONU dans tout projet de règlement du problème palestinien. Maigre consolation pour les amis et alliés arabes de Washington, en vérité : on avait déjà évoqué dans la capitale américaine, bien que moins solennellement, la perspective d'un État palestinien en… 1979 (sous la mandature de Jimmy Carter) et, plus récemment mais de manière autrement spectaculaire, en 1999 par le très israélophile Bill Clinton, à Gaza même ! Quant aux résolutions mentionnées, aucune administration américaine ne s'en est jamais écartée, et le moins qu'on puisse dire est que George W. Bush n'a pas réalisé une percée révolutionnaire en

---

53. La Ligue arabe compte vingt-deux États membres ainsi que l'Autorité palestinienne, tandis que l'OCI comprend cinquante-sept États membres (dont l'Autorité palestinienne et tous les États arabes, sauf le Liban).

les remettant au-devant de la scène médiatique[54]. En réalité, le locataire de la Maison-Blanche aura cherché – et trouvé – à peu de frais un timide mais suffisant soutien arabo-musulman dans sa « croisade » anti-Ben Laden, sans qu'il soit contraint d'exercer de réelles pressions sur l'allié israélien.

Outre les chancelleries arabo-musulmanes, il s'agit de conquérir les opinions occidentales ; ici, la procédure se trouve facilitée en raison du traumatisme suscité par les images de New York martyrisée. Washington va tenter de présenter son intervention militaire punitive comme poly-valente, liée à une mission humanitaire et non pas bornée à des frappes plus ou moins dévastatrices. Ainsi des milliers de colis à caractère humanitaire, contenant notamment des vivres, seront-ils parachutés avant le déclenchement des frappes proprement dites. Sur cet aspect de la guerre au moins, l'initiative tactique américaine se solde par un échec ; d'abord, les combattants, de part et d'autre de la ligne de front Alliance/Talibans, subtilisent les paquets au détriment des civils ; ensuite les fameux colis orange, en quantité de toute façon insuffisante, contiennent des produits de consommation inadaptés aux modes d'alimentation des populations locales. Et les zélés contempteurs européens des États-Unis de se gausser de leur méconnaissance complète d'une zone qu'ils affirment pacifier, eux qui offrent généreusement du beurre de cacahuète à d'incrédules montagnards ouzbeks[55] !

Dans le domaine du militaire et du logistique, Washington fait preuve de davantage d'efficacité. La Maison-

---

54. Adoptées respectivement en 1967 et 1973, ces résolutions établissent le principe de l'échange paix/territoires.
55. Sur chaque colis était inscrit « Cadeau du peuple américain ».

Blanche et le Pentagone s'assurent en premier ressort, dès le 12 septembre, du bon fonctionnement des mécanismes de solidarité au sein de l'Organisation du traité de l'Atlantique Nord (OTAN). La demande d'activation de l'article 5 implique que les États-Unis se considèrent comme militairement attaqués, ce qu'ils confirmeront non seulement par la rhétorique vindicative de George W. Bush tout au long de la préparation de la riposte, puis de la riposte elle-même, mais aussi par le numéro deux de la défense, le faucon Donald Rumsfeld, refusant catégoriquement que le mollah Omar puisse échapper, y compris après sa proposition de reddition du 8 décembre, à un procès devant une cour martiale. La vérification du soutien allié de l'OTAN ne s'inscrit pas seulement dans un cadre psychologique ou politique, mais aussi dans celui de l'utilisation des bases militaires de l'organisation, tout particulièrement celles situées en Turquie[56].

Enfin, la campagne militaire américaine ne postule paradoxalement rien de bien nouveau sous le soleil des tacticiens : bombardements aériens massifs afin d'obtenir, dans un premier temps, la suprématie aérienne complète (destruction des éventuels appareils ennemis, mais aussi des matériels de DCA), et, dans un second temps, anéantissement des réserves de carburant, de vivres et de matériels lourds. Ajoutons à cette suprématie les éléments suivants : frontières fermées autour d'un État ne produi-

56. En 1990-1991 déjà, l'US Air Force avait demandé et obtenu de pouvoir utiliser à des fins offensives la base géante d'Incirlik (Iskenderun), dans la guerre menée contre l'Irak. Cette fois, la même base a été affectée à des tâches de maintenance. Sans doute eût-elle servi davantage si Oman – plus proche du théâtre des opérations – avait refusé au Pentagone l'utilisation de ses propres bases contre Al-Qaïda.

sant absolument aucun armement ; difficultés croissantes pour l'ennemi de se déplacer (manque de carburants et de véhicules), alors même que la mobilité devrait constituer son atout ; présence active d'un allié au sol ; emploi de commandos mobiles disposant d'équipements sans commune mesure avec ceux de l'ennemi. Dans de telles conditions tactiques de rapport de forces, le « fiasco » américain hâtivement annoncé par quelques journalistes pressés ne risquait pas de se produire. Au terme de deux mois de campagne militaire américaine intensive, le régime taliban capitule, entraînant dans sa chute prévisible la fuite des cerveaux d'Al-Qaïda [57].

2. *Le fou au fort*

Sur le plan tactique, Al-Qaïda avait développé quatre axes différents : le médiatique ; le rhétorique ; le géographique ; le politique local.

Si nouveauté il y eut dans l'opération du 11 septembre – outre le bilan sans précédent pour un acte de terrorisme –, c'est avant tout la manière dont elle fut exceptionnellement médiatisée. Il va de soi que « l'événement » s'organisa de main d'horloger afin d'offrir le maximum d'impressions fortes au maximum de gens à travers la planète. Il convient toutefois de rappeler que le principe tac-

---

57. La dispersion d'Al-Qaïda hors d'Afghanistan ne signifie pas corrélativement la fin des réseaux islamistes wahhabites à travers le monde, comme en ont témoigné, au printemps 2002, les tentatives d'attentats en France, dans un vol au-dessus de l'Atlantique (Richard Reid), et l'attentat meurtrier contre la synagogue de Djerba (Tunisie).

tique de l'exemplarité consistant à montrer sa force et sa détermination – surtout lorsqu'on se trouve objectivement en infériorité numérique face à l'ennemi désigné – a été conceptualisé il y a vingt-six siècles par le père des stratèges, le Chinois Sun Tse, puis mis en application à maintes reprises au cours de l'histoire militaire. En l'espèce, si l'onde de choc a effectivement secoué l'ensemble du globe, il apparaît aujourd'hui clairement que le traumatisme né des images des Twin Towers a constitué un puissant ressort de détermination pour les Américains ; en ce sens, peut-être la tactique islamiste consistant à montrer urbi et orbi le coup et les plaies béantes de l'ennemi humilié a-t-elle trop bien fonctionné, jusqu'à se retourner contre ses auteurs.

L'Afghanistan représentait, certes, depuis l'accession au pouvoir des talibans en 1996, la meilleure base de repli politique pour Al-Qaïda [58]. Mais comment ne pas rappeler que l'avantage procédait aussi et surtout de la topographie, dans cette région où les Soviétiques pourtant bien entraînés avaient éprouvé les pires difficultés entre 1979 et 1988 ? Car, dans un vaste pays montagneux difficile d'accès, où l'altitude moyenne dépasse 2 500 mètres (et atteint même, avec la chaîne de l'Hindu Kuch, surplombant des vallées profondément encaissées, l'altitude de 5 150 mètres) et dont l'environnement climatique est si rigoureux, la géographie ne pouvait que servir, selon la formule consacrée par Yves Lacoste, « d'abord à faire la guerre »… N'eût été la détermination américaine à ripos-

---

58. Encore que le Soudan et le Yémen aient pu constituer à plusieurs reprises des bases intéressantes. Sur la géographie particulière de l'Afghanistan, on relira avec plaisir le roman de Joseph Kessel, *Les Cavaliers*, Gallimard, 1994.

ter dans des délais très brefs, l'arrivée de l'hiver eût en effet probablement introduit une variable non négligeable dans l'offensive conjuguée de l'US Air Force dans les airs et de l'Alliance du Nord au sol.

Enfin, par une habile démarche de confrontation locale, on avait fait assassiner le commandant Massoud, chef charismatique de l'unique force d'opposition aux talibans en Afghanistan, deux jours avant l'attaque sur New York et Washington. Al-Qaïda avait ainsi tenté de couper l'herbe sous le pied à une éventuelle coopération entre l'Alliance du Nord et les États-Unis. On a vu que le plan échoua tout à fait ; on nomma immédiatement un remplaçant à Massoud, et le Pentagone utilisa efficacement l'Alliance du Nord à la manière d'un puissant et légitime levier militaire contre les talibans.

3. *Erreurs parallèles de perception*

Il convient de désigner ce point de rupture à partir duquel les Américains commirent bel et bien une erreur d'analyse, à partir duquel le mécanisme qui mènerait au 11 septembre 2001 s'enclencha, et cela à tous les échelons : présidence, Département d'État, Sénat dans une certaine mesure, état-major et services de renseignement à l'évidence. Cette erreur releva d'une nature moins stratégique que tactique. Il serait bien angélique de croire qu'elle correspondait au soutien à un régime qui opprimait les femmes ou dont la philosophie était antidémocratique, tout comme il serait hypocrite – j'y reviendrai – de mettre sur le compte d'une quelconque philanthropie *made in USA* l'écrasement des talibans en 2001. L'erreur consista prosaïquement à croire que l'islamisme radical n'avait été qu'un commode instrument à tranchant unique, tourné exclusivement contre le communisme. Dès lors qu'il avait servi, on pouvait l'oublier. Le cynisme (qu'importe le sort des populations afghanes sous les talibans si le Pakistan allié l'admet) le disputa effectivement à la naïveté (ces islamistes sont de bons croyants antiathées), pour un résultat qui s'avérerait désastreux par mégarde, et non sur le fond. Car la logique géopolitique d'une acceptation des talibans à Kaboul ne se démentait pas (stabilisation propakistanaise, partenariat énergétique), à condition de surveiller avec la dernière efficacité l'évolution de cette mouvance extrémiste et, surtout, le groupe apocalyptique arabe qu'elle abriterait bientôt. Là, le manque de discernement et de pragmatisme des services de renseignement américains dépasse l'entendement. Dans quelle large mesure la CIA laissa-t-elle échapper l'évolution violemment antiaméricaine du discours taliban après 1996 ? Dans quelle autre large mesure les plus hauts échelons politiques à Washington négligèrent-ils d'infiltrer efficacement Al-Qaïda, structure clairement terroriste dès sa création, en 1998 ? Outre-Atlantique, on crut sans doute possible de ramener à de meilleures dispositions un Ben Laden sinon en « l'achetant », du moins en lui proposant des arrangements politiques ou logistiques (livraisons de matériels militaires, par exemple), y compris après les attentats-suicides contre les ambassades américaines à Dar es-Salaam et Nairobi (1998).

Bien plus grave que l'échec d'une analyse sur un temps relativement court, on assista à l'échec d'une politique du renseignement. Erreur tactique, presque technique à force de recourir à une technologie ultrasophistiquée là où des cohortes d'espions marchands de tapis sur les marchés de Kaboul, miliciens dans les villages pachtounes du Sud-Est tribal afghan ou « volontaires » arabes eussent infiniment mieux servi. Les stratèges américains devront dorénavant s'inspirer davantage, dans ce domaine au moins, du père incontournable de la stratégie, Sun Tse, déjà mentionné, qui préconisait et détaillait en son temps des tactiques d'infiltration de l'adversaire [59].

Les centaines de millions de dollars engloutis dans le nec plus ultra du high-tech satellitaire ont sans doute répondu à de véritables besoins dans d'autres zones sensibles du globe (de la même manière que le bouclier anti-missiles remplira une fonction anti-*Rogue States* sur d'autres théâtres d'opération) : ils n'ont été d'aucune espèce d'utilité face aux meurtriers d'Al-Qaïda. Manque de « matériels » de renseignement humain, donc, mais aussi choix stupéfiants des personnels ; ainsi, lorsqu'on s'attarde à observer les méthodes de recrutement de la CIA ces dernières années, on se dit qu'il eût été miraculeux que l'Agence détecte un projet terroriste de l'ampleur du 11 septembre ! Même constat d'incapacité légale à recourir à tout type de contrainte physique ou psychologique, même modérée, sur des terroristes potentiels. On pourra toujours se proclamer et être réellement – à l'instar de l'auteur de ces lignes – fondamentalement opposé à la torture, on n'échappera jamais à la sempiternelle question morale et éthique suivante : si l'homme retenu prisonnier sait qui perpétrera

---

59. Sun Tse, *L'Art de la guerre*, Flammarion, 1997. Sur les erreurs et lacunes du système de renseignement américain avant le 11 septembre, lire l'article de Michel Klein, « Renseignement humain et terrorisme », *Défense Nationale*, n° 4, avril 2002, p. 120-130.

un prochain attentat contre des civils et où, doit-on le laisser garder son secret ? Depuis les années 1980, officiellement et légalement, les États-Unis avaient tranché. Après le 11 septembre 2001, des changements risquent fort de se produire sur ce plan. Cadeau de Ben Laden à tous les répressifs et antiabolitionnistes que comptent les États-Unis…

Pour leur part, les décideurs d'Al-Qaïda commirent deux lourdes erreurs d'appréciation : la première porte sur l'ampleur du coup porté, la seconde sur la détermination de l'adversaire américain.

Si l'organisation islamiste avait choisi une cible de dimension exclusivement symbolique et non humaine, il apparaît évident que Washington n'aurait pu en appeler non seulement à la solidarité des alliés occidentaux de l'OTAN, mais encore à la neutralité bienveillante de la quasi-totalité des États musulmans de la planète [60]. Imaginons que Ben Laden, ou un autre cerveau de l'expédition meurtrière, ait ainsi choisi pour cible réellement symbolique la statue de la Liberté ou le dôme du Capitole, et – s'il fallait vraiment un *shahid* (martyr) – un monoplace en guise de projectile. Alors un certain sentiment de revanche n'aurait pas manqué de s'exprimer chez les contempteurs de l'Amérique à travers la planète : humilier le supergrand chez lui, avec la hauteur de celui qui, magnanime, eût aisément pu le meurtrir mais se contente de forcer son adver-

60. Il n'est pas jusqu'aux plus farouches des ennemis traditionnels des États-Unis qui se soient joints, dès le 12 septembre 2001, à l'indignation générale, du Libyen Muhammar Kadhafi au Soudanais Omar el-Bechir en passant par le Syrien Bachar el-Assad…

saire à négocier, à se remettre en cause, à réfléchir aux revendications posées... Comment un président Bush-fils ridiculisé aurait-il ainsi pu réunir et justifier, pour la destruction d'un tas de pierres et de fer, un déploiement politique et militaire massif contre l'Al-Qaïda terroriste de Ben Laden et le régime taliban – aussi barbare soit-il – qui le protégeait ? Aurait-il invoqué l'article 5 du traité de l'OTAN pour « détérioration de monuments historiques » ? Aurait-il activé l'article 4 du traité de l'ANZUS (Australia/ New Zealand/United States) au titre d'une « violation de l'espace aérien américain » ? Et la clause de défense mutuelle du traité de Rio de l'OEA (Organisation des États américains) aurait-elle joué pour « atteinte aux symboles nationaux des États-Unis d'Amérique »[61] ?...

Laisser une marge de manœuvre à l'ennemi, et surtout lui interdire de compter, par le caractère irréparable et injustifié du coup reçu, sur le soutien automatique d'un grand nombre de puissances tierces immédiatement convoquées à la riposte (et au partage du futur butin, énergétique en l'occurrence) : un tel enseignement structurel figure au fronton de toute approche stratégique rationnelle. J'ai dit que la stratégie d'Al-Qaïda incluait une riposte américaine

---

61. Cf. mon article dans *Libération*, déjà cité. L'article 5 du Traité de Washington (4 avril 1949) dispose qu'« une attaque armée contre l'une ou plusieurs des parties [...] survenant en Europe ou en Amérique du Nord sera considérée comme une attaque dirigée contre toutes les parties, en conséquence elles conviennent que, si une telle attaque se produit, chacune d'elles, dans l'exercice du droit de légitime défense, individuelle ou collective, reconnu par l'article 51 de la Charte des Nations unies, assistera la partie ou les parties attaquées en prenant aussitôt, individuellement et d'accord avec les autres parties, telle action qu'elle jugera nécessaire, y compris l'emploi de la force armée, pour rétablir et assurer la sécurité dans la région de l'Atlantique Nord ».

puissante. Mais tout tient dans la nature de la riposte, et non dans le degré de destruction dont elle est porteuse. Le rapport du fort au faible s'illustre souvent par des représailles massives mais non annihilantes ; les États-Unis frappés comme je l'ai imaginé plus haut n'auraient pu réunir simultanément la volonté intérieure et le soutien extérieur propres à une riposte d'anéantissement d'Al-Qaïda et du régime taliban qui l'abritait. Le clan Ben Laden n'a pas su « jusqu'où ne pas aller trop loin ».

En définitive, pour les talibans, l'une des pires conséquences politiques et militaires du jusqu'au-boutisme absolu d'Al-Qaïda s'était déjà matérialisée par la fermeture hermétique des frontières : l'Iran (certes chiite mais islamiste) dès 1997, l'Ouzbékistan, le Tadjikistan, et enfin le Pakistan allié ; autant d'États qui eurent sollicité et apprécié un certain pragmatisme de voisinage et qui, au final, se joindront objectivement, passivement ou activement, à l'effort américain pour écraser l'éphémère « émirat d'Afghanistan [62] ». Lorsqu'on voit se liguer en ennemis intraitables des puissances qui auraient pu incarner des partenaires, on a nécessairement franchi une ligne rouge dans la perception que l'Autre a de soi-même.

La seconde erreur participe des représentations géopolitiques des islamistes de manière générale ; leur prisme est si déformant qu'ils en viennent à se forger un adversaire occidental globalement décadent, craintif, émasculé par la

62. Dès le 24 septembre 2001, le Sénat américain approuvait un rééchelonnement de la dette globale pakistanaise vis-à-vis des États-Unis pour un montant de 375 millions de dollars. Plus tard, le Département d'État entamerait des négociations fructueuses avec l'Ouzbékistan et la Russie en vue de la location d'une base américaine permanente à la frontière afghano-ouzbèke.

luxure et la prospérité et plus guère capable de porter le fer. Oussama ben Laden et le mollah Omar s'attendaient ainsi à une riposte massive autant que maladroite, mais non suivie par l'opinion publique américaine, réputée réfractaire à l'idée d'envoyer des soldats sur place à peine plus d'une décennie après la cuisante défaite soviétique, un quart de siècle après le désastre vietnamien[63]. Or le syndrome vietnamien, s'il n'a pas tout à fait quitté la psyché collective américaine, s'est néanmoins encore un peu plus évaporé dans les mémoires après le choc de l'agression du 11 septembre. À en juger par l'aura exceptionnelle dont ont joui dès le lendemain un George W. Bush ou un Donald Rumsfeld, les Américains se positionnaient bien loin de la mauvaise conscience liée aux bombardements massifs des ultimes années du cauchemar vietnamien[64]. Quant aux troupes dépêchées sur le terrain – des commandos de choc pour l'essentiel –, elles n'étaient pas de même trempe ni de même nature que les conscrits pataugeant aux abords du Mékong... Du reste, les dirigeants d'Al-Qaïda entretenaient la certitude qu'en frappant un coup terriblement dévastateur au cœur de l'Amérique honnie, beaucoup d'Américains se convertiraient à l'islam, désormais convaincus de la supériorité de cette foi[65]. L'erreur apparaît d'autant plus grossière qu'à l'inverse des

63. Le 30 septembre 2001, le mollah Omar, sur les ondes de la radio officielle de Kaboul, déclara : « Les Américains n'ont pas le courage de venir ici. » Cité in *Hyperterrorisme, la nouvelle guerre, op. cit.*, p. 219.

64. « Le patron du Pentagone, Donald Rumsfeld, incarne la confiance retrouvée d'une Amérique en guerre », Annick Cojean, *Le Monde*, 8 décembre 2001.

65. Sur la représentation prégnante des rapports de forces, on trouvera d'intéressantes références dans l'ouvrage de l'orientaliste Emmanuel Sivan, *Mythes politiques arabes*, Fayard, 1996.

sociétés européennes, et de la société française en particulier, la société américaine se caractérise par une profonde religiosité. Les actuels Sénat et Administration fournissent d'excellents exemples de cénacles dominés par des lecteurs assidus de la Bible, Bible à l'aune de laquelle ils traduisent souvent les événements internationaux selon une grille d'interprétation relativement manichéenne. Ainsi de « l'axe du mal » ou du « combat pour le Bien », notions qui font ricaner en France mais qui impliquent outre-Atlantique un positionnement politique et militaire offensif et sans états d'âme contre les ennemis désignés[66]. Peut-être Oussama ben Laden se sera-t-il davantage souvenu de ses séjours de jeunesse européens que de ceux effectués aux États-Unis… Quoi qu'il en soit, et que cela plaise ou non, l'ampleur du coup a dans le même temps offert à un George W. Bush la carrure définitive qui lui manquait depuis les élections contestées de 2000, à l'Administration américaine la capacité d'obtenir du Sénat une exceptionnelle rallonge budgétaire au profit du Pentagone, et au peuple américain rasséréné une couche supplémentaire de ciment national ; jamais sans doute depuis les années 1941-1945 les Américains ne s'étaient sentis aussi soudés et motivés par un combat national présenté comme vital[67]. Ce phénomène se traduisit dès le 8 octobre 2001 par une capacité d'action

---

66. Les *White Anglo-Saxon Protestants* (WASP), et tout particulièrement les fondamentalistes, entretiennent à l'égard des juifs, du sionisme et d'Israël un attachement profond qui, précisément, tire sa substance de la Bible, et notamment de la lecture des trois grands Prophètes Esaïe, Ézechiel et Jérémie.

67. Au total, George W. Bush a obtenu 45 milliards de dollars supplémentaires – augmentation sans précédent – au titre de la guerre contre le terrorisme et pour un budget militaire qui était déjà en augmentation.

et une détermination remarquables, tout au long de la principale campagne d'Afghanistan et de ces suites en 2002. Fi d'une démoralisation devant l'impact d'un islam fou, le ressort des énergies et du consentement aux efforts se tendit pour longtemps. Cadeau de l'apocalyptique Ben Laden à tous les ultraconservateurs, fondamentalistes et faucons que comptent les États-Unis…

D. *Les enseignements de la campagne afghane et le grand jeu centre-asiatique*

Comme après chaque crise qui dégénère en guerre ouverte, quels que soient du reste sa nature et son déroulement, un certain nombre d'enseignements peuvent être établis à chaud, en particulier dans la dimension géostratégique et militaire.

1. *Enseignements militaires*

Dans la logique du fort au faible, l'aviation reste incontestablement la reine des batailles. Surveillance du territoire, entrave au libre déplacement des véhicules ennemis, destruction des entrepôts de carburants et de munitions, désorganisation des renforts ; les vieux B52 américains notamment ont rempli un rôle majeur en causant aux talibans des pertes considérables pour un coût matériel et humain dérisoire.

Mais tout le paradoxe de cette puissance aérienne réside dans son insuffisance chronique dès lors qu'il s'agit de remporter une victoire décisive. Car les Américains auraient bien pu anéantir au sol tout ce qui ressemblait à une maison que le régime taliban ne se serait pas pour autant effondré, et les chefs d'Al-Qaïda vivraient toujours sous sa protection. Plus que jamais, l'aviation prépare le terrain à l'infanterie. De la Seconde Guerre mondiale à nos jours, le rôle de *préparation* du terrain dévolu à l'aviation de combat en vue de l'offensive terrestre s'est progressivement substitué à celui de simple *soutien* des troupes au sol. Cette évolution se vérifia déjà au fil des guerres israélo-arabes, puis de nouveau avec l'Irak, en 1991 ; elle se confirme cette fois encore en Afghanistan. À terme, on peut envisager que l'efficacité des opérations menées par une aviation performante sur des forces ennemies clouées au sol sera telle que celles-ci capituleront avant même l'intervention des fantassins alliés (à l'exemple de la Serbie). À la différence près qu'on ne recourrait pas à des armes de destruction massive, ce schéma renverrait à celui de 1945, lorsque les États-Unis décidèrent de frapper le Japon assez puissamment pour le dissuader de poursuivre la lutte jusqu'à l'invasion prévue de l'archipel. Sans l'Alliance du Nord, composée d'autochtones afghans, Washington eût été contraint d'adopter une autre stratégie ; les bombardements aériens ne suffisant pas à vaincre définitivement l'ennemi désigné, sauf à engager des soldats américains au sol. Après la reddition des talibans, on verra d'ailleurs le Pentagone engager des mercenaires afghans, en guise d'auxiliaires aux forces américaines, pour contribuer à réduire des poches de résistance ennemies.

2. *Enseignements géostratégiques*

L'enlisement n'a pas eu lieu. George W. Bush n'a pas versé dans le piège qui happa, à des époques et dans des circonstances différentes, les chefs d'État américain Johnson et soviétique Brejnev. L'Afghanistan n'aura pas incarné un nouveau Vietnam ou le cauchemar soviétique des années 1979-1988. Outre l'expérience d'une géographie excessivement difficile et la prise de conscience – bien tardive mais effective – des objectifs et stratégies de l'ennemi, la fameuse doctrine « zéro mort » a bel et bien continué de guider la ligne générale de l'administration américaine, contrairement à ce que nombre d'analystes ont prétendu au lendemain du 11 septembre. Toutefois, il convient d'affiner le concept : c'est le « le zéro mort » *chez les conscrits et les réservistes* qui demeure d'actualité, et non au sein des troupes de choc de type commando, largement retranchées de la vie civile et de leurs familles, suréquipées, surentraînées et opérant sur le terrain dans le secret le plus total. Que ces commandos aient subi des pertes, voilà qui est apparu et apparaîtra à l'avenir, aux yeux de l'opinion publique américaine, comme regrettable mais faisant partie de l'ordre naturel des choses de la guerre. Ces « Ninja » n'ont-ils pas signé un contrat avec l'armée en toute connaissance de cause du danger auquel ils s'exposent en cas de mission ? N'ont-ils pas élu ce type de vie ? L'insupportable, pour l'opinion américaine, eût signifié, comme au Vietnam, le départ de dizaines de milliers de jeunes appelés sortant à peine du foyer maternel, et le spectacle quotidien dans les journaux télévisés de leurs souffrances physiques et psychologiques, bien plus grandes que ce que les images laissent voir.

En outre, l'ampleur sans précédent du coup porté à New York – insistons une fois encore – a par avance fixé sur l'autel de la légitime revanche un coût militaire non quantifiable, mais sans nul doute élevé ; toutes les enquêtes d'opinion réalisées aux États-Unis depuis le 12 septembre 2001 ont révélé une acceptation sans réserves de pertes élevées en vies humaines dans les rangs des troupes américaines. L'envoi d'un contingent ordinaire (hors commandos) n'aura pas répondu à l'utilité du moment ; il eût néanmoins été infiniment mieux accepté qu'en d'autres circonstances, tant le motif de l'« investissement » aurait correspondu à celui qui prévalut naguère à Pearl Harbor et non à Saigon…

Autre enseignement, extérieur cette fois : les États-Unis peuvent se féliciter de la passivité des foules arabo-musulmanes face aux appels au Djihad surmédiatisés d'Oussama ben Laden, et devant l'écrasement des talibans par des armes majoritairement occidentales. Car le risque annoncé ne résidait-il pas, principalement, dans la rue arabe et au Pakistan ? On a vu que le chef d'Al-Qaïda avait placé ses espoirs dans les masses populaires d'États en effet en proie à la paupérisation, et à l'agitation conséquente des islamistes. Or, exception faite de trois manifestations d'envergure dans la partie pachtoune du Pakistan, force est de constater que cette rue – et tout particulièrement la rue arabe si redoutée – n'a guère manifesté de vindicte anti-américaine démesurée, sauf à tenir pour de graves débordements menaçant les régimes en place, de Tunis à Bagdad, l'incendie de quelques dizaines de drapeaux américains, israéliens, et, pour la circonstance, britanniques.

Cette passivité, presque stupéfiante en regard des mises en garde des régimes arabo-musulmans proaméricains et des meilleurs spécialistes des relations internationales, témoigne sans doute d'une défiance à l'égard de l'instrument déjà bien usé du Djihad contre l'Occident, ou, comme le présuppose Daniel Sibony, du fait que « l'Oumma fait preuve d'une certaine maturité[68] ». Peut-être traduit-elle aussi – pour l'heure du moins – l'invalidité du concept de choc des civilisations élaboré par Samuel Huntington[69].

3. Le très grand jeu

Prétendre que la Maison-Blanche, ou le Sénat, ou un lobby militaro-industriel mythifié ont souhaité ou encouragé d'une quelconque manière la tragédie du 11 septembre 2001 tient à la fois du stupide et de l'odieux, j'y reviendrai. Mais, dans le cadre rigoureux d'une analyse géostratégique sérieuse, la naïveté ne peut avoir cours : le coup porté par Al-Qaïda a déjà agi et agira plusieurs années durant à la façon d'un faire-valoir pour le renforcement de la prédominance politique et militaire américaine dans le monde – en particulier sur le continent asiatique – à travers le concept de *Global War Against Terrorism*. Or les Américains entretiennent depuis Monroe au moins un sens très aigu de la stratégie, jouant de ruse et de rapports de forces objectifs, maniant carotte et bâton, persuasion et punition. Ces traits caractérisent toute puissance dotée d'une *représentation de soi* à travers laquelle elle cherche à réunir les conditions de son maintien en tant que telle, et non une spécificité améri-

68. « Les enfants terrifiants de l'Islam », *Libération*, 10 octobre 2001.
69. Alexandre Adler, notamment, s'était montré très préoccupé quant à la pérennité du régime pakistanais devant la colère populaire exprimée sur fond d'islamisme virulent. « Rumeurs du monde », France Culture, 3 novembre 2001.

caine, un particularisme local, une tradition plus ou moins folklorique liée à la Frontière ou à la Constitution. En l'occurrence, je qualifierais par une expression empruntée au jeu d'échecs le déploiement stratégique américain adopté depuis septembre 2001 en Asie centrale : un coup d'avance, trois cases neutralisées.

Car, à la faveur de l'émotion suscitée par le massacre du 11 septembre et de son droit à exercer une légitime riposte, Washington a immédiatement commencé à donner une acception extensive à sa lutte contre le terrorisme d'Al-Qaïda, et semble réitérer le grand jeu moyen-oriental – mais plus au nord et à l'est, cette fois, et sur des espaces plus vastes – de 1990-1991. À l'époque, l'invasion irakienne du Koweït, que les États-Unis avaient vraisemblablement encouragée par leur absence de réaction aux velléités saddamites clairement exprimées, leur avait permis d'intervenir massivement au Moyen-Orient, et de manière durable[70]. Au sortir de la guerre victorieuse menée par une vaste coalition onusienne dont ils étaient l'âme et le principal bras armé, les Américains avaient considérablement accru leur puissance à plusieurs niveaux : au Conseil de sécurité, où ils avaient littéralement « acheté » l'abstention de l'Union soviétique moribonde et de la Chine (par des accords commerciaux) ; dans l'espace terrestre et maritime proche-oriental, où deux flottes de guerre et 35 000 hommes de troupe contrôlaient désormais les zones les plus « pétrostratégiques » de la planète face à un Irak neutralisé et affaibli ; vis-à-vis des Européens, appelés à contribuer à l'effort de guerre sous la houlette de Washington, mais pas à bénéficier de la reconstruction du Koweït ni à par-

---

70. L'entretien du 25 juillet 1990 entre Saddam Hussein et l'ambassadrice américaine, April Glaspie, fut à cet égard sans doute déterminant.

ticiper activement au processus de paix israélo-arabe qui se préparait[71]... Toutefois, parmi ces différents éléments, l'installation de bases américaines sur le sol de la péninsule Arabique est celui qui traduisait le mieux cette stratégie du coup d'avance : sous couvert de frapper puissamment le (réel) fauteur de troubles, s'établir solidement et durablement dans une zone dont on sait que le prochain adversaire l'habite. Au moment de la seconde guerre du Golfe, l'ennemi à venir pouvait soit incarner l'Iran chiite, dont l'accroissement du potentiel militaire ne cessait d'inquiéter les pétromonarchies sunnites, soit le régime saoudien lui-même, dont l'un des piliers naturels – le prince Abdallah – ne cachait pas son hostilité à l'encontre des États-Unis ni son attachement à une politique panislamique d'indépendance pétrolière[72]. On constate effectivement que la tension américano-saoudienne est le fait d'Abdallah pour la partie saoudienne, même si ce fils d'Ibn Séoud et prince héritier de Fahd a su demeurer pragmatique après le 11 septembre 2001. Mais qu'en sera-t-il demain, avec le successeur de ce prince régnant âgé de 78 ans ? Une hypothèque rendue moins inquiétante par la présence des bases militaires américaines à quelques encablures des champs pétrolifères saoudiens[73]... Il en va de même pour l'Iran, qui, d'une part, a tenté et réussi une réconciliation avec nombre

71. Seul l'allié britannique, fort de ses liens historiques avec son ancienne possession et de son suivisme à l'égard de Washington, obtint de juteux contrats de reconstruction. Quant au processus de paix israélo-arabe, il s'ouvrirait certes à Madrid (octobre 1991), mais verrait l'Europe y disposer d'un simple « strapontin » d'observateur.

72. Parmi les États de la péninsule Arabique, seul Bahreïn est majoritairement chiite.

73. Sur les raisons de cette présence américaine massive, née de la guerre (prévue au Pentagone ?) contre l'Irak, voir l'hypothèse que j'avais développée dans *Le Moyen-Orient entre paix et guerre*, Flammarion, 1999.

d'États arabes de la région, et, d'autre part, s'approche à grands pas de la possession de l'arme nucléaire. Je crois donc là encore à un « grand jeu » américain fondé sur le coup d'avance, non plus sur deux « cases » potentiellement occupées par un futur adversaire, mais simultanément sur trois.

En premier lieu, c'est la Chine qui inquiète les stratèges américains. La montée en puissance économique de cet État de 1,3 milliard d'habitants s'est traduite par une augmentation qualitative de ses matériels militaires, notamment dans le domaine des engins à propulsion de moyenne et longue portée. Déjà dotée de l'arme nucléaire, Pékin se trouve ainsi en position renforcée avec son arsenal de missiles sol-sol. Du reste, l'inquiétude américaine se porte davantage sur les risques d'expansion continentale chinoise que sur sa puissance maritime ; l'Empire du Milieu ne dispose pas en effet d'une flotte de guerre suffisamment considérable pour menacer sérieusement Taïwan et moins encore, le cas échéant, les côtes philippines ou japonaises, et cela d'autant moins qu'une flotte américaine navigue en permanence en mer de Chine[74]. En revanche, sous couvert d'une politique de prévention anti-islamiste liée au séparatisme des musulmans ouïgours du Xinjiang, Pékin pourrait tenter de jouer l'interventionnisme auprès des républiques musulmanes ex-soviétiques, voire de s'in-

---

74. Chacune des flottes américaines (ou groupes aéronavals) dispose d'une force de frappe et d'une capacité d'intervention considérables. Par exemple, à l'automne 2001, le groupe aéronaval Carl Vinson, naviguant en mer d'Oman, comprenait 1 porte-avions et ses escorteurs, 5 escadrons de chasseurs-bombardiers, 2 sous-marins, 2 croiseurs, 2 destroyers, plusieurs bâtiments d'assaut amphibie, plusieurs hélicoptères d'attaque (l'ensemble transportant 400 missiles), et une unité expéditionnaire de *Marines*.

vestir ponctuellement en Afghanistan en cas de retour au chaos.

En second lieu, Washington cherche à anticiper toute modification en profondeur du positionnement de Moscou. La Russie de Vladimir Poutine a certes adopté un *low profile*. Comprenant la détermination des Américains à réagir fortement à l'affront du 11 septembre, et surtout l'avantage qu'il pourrait tirer de cette compréhension si elle s'affichait ostensiblement, le président russe a multiplié les gestes de bonne volonté : accord donné à l'Ouzbékistan pour louer une base au Pentagone, proposition d'accueillir au Tadjikistan (où stationnent des troupes russes) certaines unités de maintenance, acceptation d'une présence américaine permanente en Afghanistan dans le cadre d'un accord régional, etc. La contrepartie, limpide, se traduit par deux attentes : une véritable alliance énergétique dans le Caucase et la Caspienne dirigée contre l'OPEP, et le blanc-seing de Washington dans la répression russe en Tchétchénie. Déjà, à peine la riposte entamée, le discours officiel américain s'infléchissait dans le sens espéré par Moscou sur les deux questions. Toutefois, rien n'assure que le successeur de Vladimir Poutine maintiendra cette ligne géostratégique souhaitée par les Américains. En accentuant considérablement leur présence militaire dans les secteurs sensibles des anciennes marches soviétiques, ces derniers se prémunissent contre d'éventuelles velléités russes de (re)prendre pied dans la région. Du reste, les républiques musulmanes ex-soviétiques ont rapidement saisi l'opportunité de s'ouvrir aux propositions américaines, à commencer par l'Ouzbékistan (contigu à l'Afghanistan), qui joue sur un développement des échanges commerciaux avec les États-Unis, l'accélération des projets de gazoduc, d'oléoduc et autres pipe-line d'Asie centrale vers l'océan Indien via l'Afghanistan pacifié, et même, pourquoi pas, des pourparlers sur un éventuel accord de partenariat avec l'OTAN ; les espérances ne manquent pas à Tachkent ni dans les autres capitales d'Asie centrale.

En troisième lieu, il s'agit de contrôler très étroitement l'évolution de l'allié pakistanais. Même en butte à l'hostilité d'une grande partie de l'opinion, le pouvoir en place à Islamabad a tenu bon et a adopté une ligne parfaitement cohérente. Le Pakistan en a déjà tiré profit auprès des institutions américaines, mais la meilleure récompense du général Moucharraf pour sa coopération reste sans doute l'assurance donnée par Washington que le pouvoir instauré à Kaboul, dirigé par un Pachtoune, et donc a priori propakistanais, sera soutenu durablement. Pour le Pakistan, cette garantie est fondamentale : l'état-major à Islamabad considère en effet cet état de fait comme une priorité absolue face à l'éventualité d'une offensive militaire indienne qui enfoncerait, même provisoirement, les lignes pakistanaises. L'armée pourrait alors se déployer, en attendant la contre-offensive, dans le vaste espace escarpé (et donc propice à un dispositif défensif) qu'offre, à la manière d'un profond *hinterland*, l'Afghanistan[75]. Ce plan implique nécessairement un régime ami à Kaboul. Par ailleurs, Islamabad est parvenue – mais pour combien de temps ? – à convaincre Washington de cesser de lorgner vers New Delhi en guise de nouveau partenaire régional privilégié.

---

75. Sur les rapports entre Pakistan et Afghanistan, voir Michael Barry, « Le détonateur afghan », *Politique internationale*, n° 93, p. 83-112.

4. « *L'axe du mal* », *morceau de pragmatisme*

La rhétorique manichéenne du méthodiste George W. Bush ne surprend plus depuis fort longtemps, et l'expression « axe du mal » (*axe of evil*), que l'occupant de la Maison-Blanche employa lors de son discours sur l'état de l'Union, en janvier 2002, ne présente rien de bien révolutionnaire à cet égard. Par ailleurs, étroitement entouré de conseillers chevronnés et, globalement, plus pragmatiques que lui, Bush Junior n'a pu se contenter de satisfaire à une réaction passionnelle à l'encontre de trois États – l'Irak, l'Iran et la Corée du Nord – perçus comme hostiles au camp du « Bien » par lui représenté. Cela ne signifie pas que l'homme n'adhère pas à ses propres message et tonalité, et qu'il ne se serait agi que de produire un effet discursif et psychologique. Mais une analyse sérieuse nécessite de ne pas s'arrêter là et de dégager ce qu'exprime, en filigrane et dans le champ du *réel* et du géopolitique, ce discours tant décrié.

Objectivement, quand bien même les régimes en place à Bagdad, Téhéran et Pyongyang ne constituent guère des modèles d'humanisme et de démocratie, il est fort possible qu'aucun d'entre eux n'a connu, ni même soupçonné les projets cataclysmiques d'Al-Qaïda sur New York. Objectifs, stratégies, représentations politiques et idéologiques, appartenances et allégeances religieuses, etc. : décidément, trop de divergences prévalent entre un Ben Laden, un Saddam et un Khatami. Et si Bagdad ou Téhéran eurent vent d'un projet du genre de celui du 11 septembre, ils n'ont vraisemblablement ni pu ni souhaité y contribuer directement. Trop pragmatiques, ayant trop à y perdre, et rien à y gagner... De surcroît, pointer un doigt accusateur sur des États considérés, d'une manière ou d'une autre, comme des « *rogue states* » (États-voyous) soutenant le terrorisme, en les menaçant de mesures de rétorsion économique, n'ajoute rien : de fait, ces États pâtissent *déjà*, de la part de Washington, d'un embargo plus ou moins officiel, et à des degrés divers ! Alors, acclimater les États arabes du Moyen-Orient à l'idée d'une offensive américaine contre l'Irak à court ou moyen terme[76] ? Peut-être, mais dans ce cas, *quid* des deux autres accusés ? Et, surtout, quadrature du cercle, que faire d'un Irak privé du pouvoir fort et centralisateur de Saddam Hussein qui imploserait probablement sous le poids des forces centrifuges méridionales chiites et septentrionales kurdes ? L'argument ne me convainc pas. Je crois davantage à une stratégie indirecte. En réalité, le discours du président américain s'adressait moins aux régimes stigmatisés qu'à leurs soutiens respectifs. Mettre à l'index ces trois États correspondait à une manière d'avertissement en direction de Moscou derrière Bagdad et surtout Téhéran, et à l'intention de Pékin derrière Pyongyang.

Après la disparition officielle de l'URSS en décembre 1991, l'héritage de la puissance internationale a essentiellement échu à la Russie. Or c'est une Russie bien entendu plus faible politiquement, militairement, et surtout économiquement, qui a dû affronter les autres puissances dans l'arène internationale : d'où un désengagement très net de plusieurs zones naguère sous influence. Au Moyen-Orient, par exemple, la Syrie, vieille alliée fidèle depuis les premières heures de la guerre froide, et davantage encore avec

76. « Invasion Blueprint For Iraq », Thom Shanker et David E. Sangar, *The Washington Post*, 5 et 6 mai 2002.

l'avènement au pouvoir à Damas du général Hafez el-Assad en 1970, fit immédiatement les frais du repli ex-soviétique ; livrer moins d'armements lourds à la Syrie revenait à gagner un peu d'amitié sonnante et trébuchante auprès des États-Unis. Dans les Amériques, Cuba se vit acheter moins de sucre, et à des prix non préférentiels. En Asie du Sud-Est, on se fit moins généreux à l'égard du Vietnam en matière d'aide économique et militaire (prêts, dons). On pourrait additionner les exemples. Mais un partenariat demeura solide et ne cessa plus de se renforcer : celui établi avec Téhéran. En 2002, les relations commerciales, énergétiques, diplomatiques et militaires ont atteint un niveau jugé inquiétant par Washington pour trois raisons : l'intensité de la coopération énergétique russo-iranienne, autour des prodigieuses réserves pétrolifères et gazières de la mer Caspienne, prive les Américains d'un statut d'arbitre omnipotent dans la zone convoitée ; l'axe Moscou/Téhéran inquiète Ankara en raison du soutien apporté à l'Arménie face à l'allié azerbaïdjanais turco-phone ; enfin – et ce troisième élément d'inquiétude gagne constamment en importance –, Israël exhorte son allié américain à freiner la course iranienne à l'obtention de l'arme nucléaire, menaçant d'intervenir directement en cas de danger dans ce domaine. Autrement dit, pour ces trois motivations de nature infiniment plus géopolitique que mystique ou spirituelle, Washington a donné de la voix contre Téhéran en incluant dans l'« axe du mal » un régime qui, sous l'impulsion du réformateur Khatami, présentait pourtant des signes d'apaisement à l'endroit de l'Occident, parallèlement, toutefois, à la recherche d'un rapprochement avec le monde arabo-musulman. Par ce biais, c'est la Russie que les États-Unis cherchent concrètement à impressionner par une démarche ambivalente faite de promesses et de menaces, les premières l'emportant depuis le 11 septembre 2001, on l'a vu : prise en compte des intérêts russes dans le Caucase et dans le partage de la Caspienne, moins de sévérité « droits-de-l'hommiste » dans la guerre menée contre les Tchétchènes, éventuellement des pourparlers plus souples quant à des subventions de Washington, voire du FMI ; autant d'avantages proposés en contrepartie d'un relâchement des liens avec l'Iran, tout particulièrement dans le domaine du nucléaire. Pour l'heure, il ne semble pas que ces « carottes » aient tout à fait convaincu Moscou, tant est fructueuse la coopération avec le voisin iranien, nonobstant le fait que Vladimir Poutine, répétons-le, déploie des trésors d'énergie diplomatique – avec raison à mes yeux – pour jouer au mieux la carte américaine, quitte à s'opposer de plus en plus frontalement à une partie de son état-major et à certains de ses ministres. En bref, lorsque George W. Bush implique l'Iran dans l'« axe du mal », il s'adresse prioritairement à son homologue russe.

Logique similaire avec la Corée du Nord ; il paraît invraisemblable que le Pentagone échafaude des plans d'attaque préventive, c'est-à-dire sans agression préalable, contre le dernier État parfaitement stalinien du globe, ou du moins que la Maison-Blanche souscrive à un tel scénario : Pékin ne tolérerait probablement pas qu'on attaque de cette manière son allié et voisin, même encombrant. Or, là encore, il s'agit de démontrer sa détermination au partenaire et – en l'espèce – protecteur principal. La Chine est appelée par les États-Unis à apprécier, par exemple – en contrepartie d'une forte pression sur la Corée du Nord pour qu'elle cesse de fournir... l'Iran et la

Syrie en armes et matériel de destruction massive –, une mise en sourdine relative des critiques qu'émet l'Amérique sur la politique répressive à l'encontre des indépendantistes musulmans ouïgours du Xinjiang et des autonomistes bouddhistes du Tibet.

On assiste donc au développement d'un très grand jeu américain en Asie, certes conceptualisé depuis plusieurs années déjà, mais jamais autour de telles perspectives. Cadeau de Ben Laden au déploiement impérial de la Rome contemporaine...

Troisième partie

NOTRE DÉMOCRATIE FACE AU TROISIÈME TOTALITARISME

« Vous avez choisi le déshonneur plutôt que la guerre, vous aurez et le déshonneur, et la guerre. »

Winston Churchill

A. *Les Américains sont-ils vraiment trop méchants ?*

Ces lignes concernant l'aversion de certains intellectuels ou militants pour les États-Unis prennent leur place au sein de cette dernière partie, pourtant consacrée à la défense de la démocratie française, pour deux raisons : d'une part, en dépit de tous ses travers, et n'en déplaise à ses détracteurs, ce pays partage avec l'Europe, et la France en particulier, un profond attachement à la démocratie ; d'autre part, les États-Unis possèdent seuls pour l'heure *et* la détermination *et* la puissance à leur service susceptibles d'endiguer, en Occident au moins, le fléau de l'islamisme radical.

Comme l'affirme fort à propos l'historien André Kaspi, « l'essentiel, c'est de proclamer sans cesse que les États-Unis n'offrent pas un modèle que nous devrions suivre ou rejeter, dont nous pourrions même nous inspirer, ou bien auquel nous serions condamnés dans un avenir plus ou moins proche. Ils fournissent un exemple, sans plus, que nous comparons, tant bien que mal, à l'exemple français, britannique ou allemand. Si puissants soient-ils, les États-Unis siègent parmi les nations. À nous de les regarder avec un esprit critique que ne désarmeront ni la sympathie excessive ni l'antipathie systématique[77]. » Or il semble qu'en France quelques indécrottables américanophobes influents car médiatisés ne puissent s'y résoudre.

Dans les jours et les semaines qui suivirent le massacre du 11 septembre 2001, on vit même réapparaître avec stupéfaction un raisonnement dont même les quadragénaires doivent éprouver des difficultés à se souvenir, tant il est lié aux années 1970 ; une logique de compréhension, voire d'absolution, du terrorisme, avec pour argutie obsessionnelle l'atavisme néfaste des États-Unis. En 1977, dans un vibrant plaidoyer en faveur de l'organisation terroriste allemande Fraction Armée rouge *(Rote Armee Fraktion)*, la fameuse bande à Baader, le polémiste d'extrême gauche Jean Genet opposait ainsi la « brutalité » occidentale, et américaine en particulier, à la « violence héroïque » des terroristes, évoquant un « archipel du goulag occidental » et une « Allemagne inhumaine voulue par l'Amérique[78] ». Ces inepties, déjà fort anciennes à l'époque, puisque arborant depuis les années 1930-1940 le rouge et le brun comme couleurs, se renouvellent donc quand on invoque les prétendues responsabilités américaines dans pratiquement tout ce qui se fait ou ne se fait pas de politique, social, militaire ou culturel dans le monde. Procédé facile et pernicieux par lequel on légitime des crimes perpétrés

77. André Kaspi, *Mal connus, mal aimés, mal compris, les États-Unis d'aujourd'hui,* Plon, 1999, p. 35. Lire l'article d'Emmanuel Lempert, « L'anti-américanisme français : réflexions sur la légitimité d'un discours critique de la domination », *Les Dossiers européens,* n° 2, avril 2002.

78. *Le Monde,* 2 septembre 1977.

contre des civils au nom de sentiments, d'idéaux, de revendications admis comme justes. À cela près que l'étendard de l'antiaméricanisme primaire s'est enrichi d'une nouvelle couleur : le vert de l'islamisme. Observons succinctement les rouages d'un opprobre qui échappe à la norme en raison de sa dimension diabolisante.

1. *Imposture au service de l'américanophobie*

L'illustration la plus flagrante sans doute de cet antiaméricanisme primaire nous est donnée par cette pseudo-révélation de méchante facture apportée par Thierry Meyssan, responsable du « Réseau Voltaire » : le Boeing 757 du vol 77 d'American Airlines assurant la liaison Washington-Los Angeles, ce 11 septembre 2001, ne serait jamais tombé sur le Pentagone. À l'appui de cette affirmation à frisson et sensation, on avance une argumentation simpliste qui tient au caractère (en effet) bancal de la première version officielle américaine de l'événement, et au manque d'images des débris de l'avion-missile. Face à ce type de démarches suspectes, est-il réellement utile de contre-argumenter[79] ? Ne tombe-t-il pas sous le sens que, le Pentagone constituant le centre névralgique stratégique de l'unique superpuissance de la planète, les autorités militaires de cette dernière hésitent à divulguer les détails précis des destructions du bâtiment, ce qui permettrait à tout terroriste professionnel de faire étudier avec soin comment et où frapper de nouveau l'enceinte, avec succès

---

79. Ces élucubrations sont aisément démontées, point par point, dans *L'Effroyable mensonge, thèse et foutaises sur les attentats du 11 septembre* de Guillaume Dasquié et Jean Guisnel, La Découverte, 2002.

cette fois ?... Devant l'obsession manifeste de la conspira-
tion, rappelons qu'en France les pouvoirs civils comme les
autorités militaires ont déjà imposé des black-out officiellement « secret-défense » pour bien moins que cela. Quant
à la thèse du sabordage par un lobby militaro-industriel
intéressé à voir s'accroître le budget militaire, elle est
d'autant plus ridicule que la destruction des Twin Towers
(clairement le fait des Américains eux-mêmes, nous dit-
on) eût amplement suffi à George W. Bush pour
convaincre le Sénat de gonfler la fameuse enveloppe budgétaire. Mais, surtout : qu'est-il advenu du vol 77 et de ses
soixante-quatre passagers ? Quel engin a bien pu frapper le
bâtiment militaire au point de l'endommager de la sorte ?
À ces questions essentielles nous devrons tous nous
contenter pour réponse, pauvres crédules, d'un laconique :
« Demandez au Pentagone ! » Comme le dit fort bien Pierre
Marcelle avec ironie, « l'inversion de la charge de la preuve
fournit des arguments irréfutables[80] »... et peut nous
emmener très loin, dans d'autres registres mais systématiquement par le prisme de la démarche du complot et de la
sempiternelle (et en l'espèce perfide) interrogation : *à qui
profite le crime* ? Question sans objet ni sens dès lors qu'on la
pose dans le cadre d'une action apocalyptique de cette
nature. Les fours crématoires découverts en 1945 ? Qui
nous prouve qu'ils n'ont pas été construits à la hâte par les
soviétiques pour diaboliser les nazis de façon à légitimer leur
emprise sur l'Europe ? Les rescapés témoins ? Qui nous
prouve qu'on ne les a pas rémunérés pour mentir ? Un
demi-million de Tziganes disparus en 1944 ? Entre cinq

---

80. « Mensonge à Voltaire », *Libération*, 26 mars 2002. L'excellent site
« proche-orient.infos » a consacré un dossier à l'affaire.

millions et demi et six millions de juifs manquants au sortir de la guerre ? Qui nous prouve par recensement précis que ces personnes ont bien existé auparavant ? Et, dans le second cas, au vu de l'évolution de la configuration du Proche-Orient depuis 1945, à qui a profité le crime ?… Ne poursuivons pas ce faux questionnement nauséabond ; de la même manière que la licence – en fait la loi de la jungle – est l'ennemie de la liberté, la possible remise en question de tout incarne l'ennemie mortelle de l'esprit critique. Qu'on ne s'y trompe pas : pour l'imposteur auteur de « l'imposture » juteuse – (désormais adulé par d'abjects négationnistes et autres organismes arabes friands de complots judéo-américains), et auquel on devrait demander de prouver qu'il n'est pas un clone, ce qui lui sera tout à fait impossible en vertu du critère absurde de la preuve absolue, il n'y aura jamais assez de photos de débris d'avion fumants autour du Pentagone pour convaincre (car ne seraient-elles pas truquées ?), et tous les témoignages visuels (seront-ils authentiques ?) ne suffiront jamais à constituer une preuve irréfutable. Et soyons heureux qu'il ne mette pas en doute la réalité cataclysmique des Twin Towers saisie par des cameramen ! Le présupposé du complot américain, du cynisme américain, de l'art américain de la dissimulation, et que sais-je encore d'américain, aura toujours force de loi. La soif de preuves est ici artificielle, et par conséquent inextinguible. Reste aux victimes naïves que nous sommes tous à imaginer le sort du Boeing 757 : détourné par la chasse américaine avant d'être abattu secrètement au-dessus de l'Atlantique ? Contraint de se poser en un lieu désert d'Arizona sous le sable duquel on aurait enfoui pour l'éternité les infortunés passagers ? Détourné sur un îlot perdu des Caraïbes où l'on aurait contraint les passagers à modifier leur identité et leur visage en contrepartie d'un substantiel dédommagement ? Secrètement désintégré dans l'espace ? À moins que tous les passagers aient été des membres de la CIA avec pour mission de jouer de faux passagers ?... C'est au choix, selon l'imagination de chacun, selon son goût plus ou moins affirmé pour la littérature de gare. Ce qui compte vraiment pour les antiaméricains psychopathologiques, même s'ils appartiennent à une famille humaniste et se prétendent « amis de l'Amérique de Tocqueville », c'est naturellement que les Américains aient menti et qu'en guise d'avion une bombe ou un missile *américain* ait saccagé le Pentagone. L'essentiel, c'est d'être *celui* qui fait naître le doute, et que ce doute s'installe insidieusement. Pour la vérité, on verra plus tard. Et une fois le doute instillé, surtout s'il implique la culpabilité de la... victime, on a gagné, et tous les témoignages, preuves matérielles et autres réalités n'y changeront rien. Paraphrasons Gœbbels : Semez le doute, semez le doute, il en restera toujours quelque chose...

2. *Les mécanismes de la détestation*

Au cœur de certains cercles dits progressistes, laïcs du moins, largement déchristianisés, qui comptent un grand nombre d'athées et d'agnostiques, on perçoit parfois l'Amérique à travers le prisme christique et moraliste du péché originel. C'est là un paradoxe aux ressorts à la fois idéologique et psychologique. Qu'un malheur frappe des citoyens américains en grand nombre – non pas des officiels, des militaires, des gouvernants, mais bien de simples civils –, et l'on se précipite pour évoquer le sort des Indiens au XIXᵉ siècle. Qu'une politique gouvernementale américaine à un moment donné et en un point précis du globe ne soit pas du goût de certains de ces militants et ceux-ci nous gratifient d'un rappel de la condition des Noirs jusqu'aux années 1960. De toute façon, on reprochera tour à tour aux Américains d'intervenir trop ou pas assez. À chaque occurrence hors de propos, cette méthode historiciste, dont le moteur est idéologique, permet de délégitimer en profondeur et de manière définitive une société entière, un État dans son ensemble, un socle identitaire et philosophique auquel adhèrent plus ou moins résolument 280 millions de personnes. Le (grand ?) soir du 11 septembre marqua le triomphe de cette manœuvre mentale perverse qui permet de dédouaner le criminel antiaméricain, quand bien même ses victimes seraient exclusivement des Noirs, des immigrés hispaniques ou des descendants d'Indiens... Comme Américains, ou à tout le moins comme personnes travaillant dans l'antre de l'Amérique honnie, les victimes de l'acte criminel sont d'une certaine façon déshumanisées et rendues indirectement responsables de leur sort tragique. Au fond, on pourrait résumer de nombreuses réactions au 11 septembre d'une phrase : quand on travaille chez, avec, ou pour le diable, il ne faut pas s'étonner de subir les foudres de la justice (immanente ? divine ?). Confusion délibérée, haine viscérale, lâcheté devant les évidences du criminel ? Dans tous les cas, la démarche soulève le cœur.

Il y a peut-être plus grave : dans nos confortables salons parisiens, combien sont-ils, ceux dont l'aversion pour les États-Unis correspond au fond à un rejet de l'Occident dans ce qu'il peut avoir de conservateur, de libéral, de (résiduellement) chrétien ou d'ataviquement coupable ? La colonisation et l'esclavage ne furent-ils pas le fait notamment de l'Occident ? Certes. Reconnaître les torts passés est noble, courageux et même nécessaire. Mais rejouer perpétuellement les Bourgeois de Calais, corde au cou, en battant sa coulpe devant tous les fanatiques autocratiques qui vomissent l'Occident pour ses travers d'autrefois relève non seulement de la haine de soi, mais aussi d'un aveuglement d'autant plus profond que l'agresseur a agi de façon analogue ! Est-il superflu de rappeler, dans un contexte où les islamistes radicaux et leurs soutiens plus ou moins conscients adoptent la posture victimaire, que l'État qui a le plus longtemps colonisé les Arabes – Maroc excepté – était un empire musulman, en l'occurrence l'Empire turc ottoman ? Est-il inutile de rappeler que l'immense majorité des victimes musulmanes des affrontements politiques et militaires dans les dernières décennies ne périrent pas sous les balles ou les bombes américaines, françaises ou britanniques, mais sous le fer et le feu d'autres musulmans ? Par ordre croissant en nombre approximatif de victimes, ne mentionnons que les milliers d'exécutions capitales ordonnées en Arabie saoudite après l'insurrection à la Mosquée de La Mecque (1979), les milliers de Kurdes irakiens gazés par Saddam (1987, 1991), les vingt mille tués de Hamma, en Syrie (1982), les cent mille victimes d'une guerre civile algérienne larvée qui sévit encore actuellement, les centaines de milliers de morts des guerres civiles tchadienne, yéménite, afghane, pakistanaise, somalienne, et surtout le million de victimes provoqué par la guerre Iran-Irak entre 1980 et 1988. Encore ce décompte macabre non exhaustif ne devrait-il pas occulter la réalité dramatique des opposants ou simples civils brimés, spoliés, torturés ou exécutés dans bon nombre des cinquante-sept États musulmans – dont aucun ne répond tout à fait aux critères onusiens de démocratie – que compte la planète. Quant aux Palestiniens, du Septembre noir en 1970 aux règlements de comptes koweïtiens de 1991 en passant par la guerre des camps libanais de 1983 et 1985, il faut avoir le courage de rappeler qu'ils déplorèrent aussi, depuis la guerre des Six-Jours de 1967, d'immenses pertes sous les coups des différentes soldatesques arabes. Par ailleurs, les Occidentaux, et en premier lieu les Américains, se distinguèrent-ils par une hostilité viscérale à l'islam lorsqu'ils intervinrent au Kosovo en proie à l'expansionnisme du Serbe – chrétien – Milosevic ? Antimusulmans, les Américains, lorsqu'ils intervinrent en Somalie – certes maladroitement, mais sans véritable intérêt géopolitique – pour tenter d'éviter la mort par inanition de centaines de milliers de civils pris en tenaille entre deux irresponsables seigneurs de la guerre locaux ? Cruelle pour les pourfendeurs tiers-mondistes d'un Occident dont les États-Unis incarneraient une espèce de fer de lance antiarabe ou antimusulman, cette réalité doit pourtant s'imposer : tuer ou opprimer des musulmans n'est plus une « spécialité » de l'Occident depuis longtemps ; c'est au contraire une « activité » devenue l'apanage d'autres musulmans, et tout particulièrement des islamistes (cf. l'Algérie).

De manière moins politique, en tout cas moins liée aux manœuvres américaines dans le concert des nations, mais particulièrement suspecte car relevant de la fameuse et redoutablement efficace théorie du « fer à cheval » de Jean-Pierre Faye, la détestation de l'Amérique s'abreuve également à de vieux schémas marxisants violemment antilibéraux[81]. Pas libéral pour un sou, je n'entretiens a priori

---

81. Jean-Pierre Faye, *Langages totalitaires*, Hermann, 1980.

aucune admiration pour les traders, ne savoure guère la difficulté croissante d'échapper à l'état pluriquotidien des cours de la Bourse et ne vibre pas à l'annonce de performances d'entreprises en matière de rendement ou de productivité. Pour autant, je constate que, de manière récurrente, l'un des principaux angles d'attaque contre les États-Unis – au-delà des considérations politiques – s'inscrit moins dans la sphère du rationnel que dans celle du fantasmatique : argent, banques, finances, trusts, spéculation, manipulation, et finalement lobbies. Guy Konopnicki voit juste lorsqu'il constate : « Ce n'est pas la plus anodine des convergences du tiers-mondisme dégénéré, de l'islamisme et des anciens fascismes européens que cette obsession d'un pouvoir mondial où l'on retrouverait la main crochue du juif sous la puissance américaine[82]. »

Du rejet de l'« empire de l'argent » ou du « dollar-roi » à celui d'une culture, il n'y a qu'un pas que nombre de contempteurs franchissent allègrement dès qu'ils décident de s'attaquer à une initiative politique américaine contestée. Ainsi s'appuiera-t-on sur un sentiment de supériorité morale ou culturelle pour moquer ou vitupérer, pêle-mêle, des modes alimentaires réduits au McDo, la peine de mort, un cinéma de série B, le culte du base-ball, un puissant moralisme religieux, etc. J'exècre moi-même tout cela, à commencer par le maintien de l'application de la peine de mort. Mais les États-Unis se résument-ils à ces particularismes ? De plus, à y bien regarder, sont-ce réellement des spécificités américaines ? Deux fois non, bien sûr. Surtout, on retrouve là la méthode de dévalorisation censée expliquer naturellement et sans démonstrations

82. Guy Konopnicki, *La Faute des juifs*, Balland, 2002, p. 15.

construites ni rationnelles les motivations de toute initiative de politique étrangère américaine. Imagine-t-on les Américains portant un jugement négatif sur la politique de la France en Afrique noire ou en Extrême-Orient à l'aune de notre consommation de fromages, du recours en appel aux assises, de l'engouement pour le rugby ou de la (réputation de grande) liberté sexuelle de nos dirigeants ? Dès lors que la critique se fonde sur une généralisation abusive et un affect fantasmatique, elle échappe au politique et perd toute crédibilité. Au risque d'ailleurs d'ébrécher cette représentation de supériorité qui se pare d'une gloire politique originelle, faisons fi d'un ego mal placé et rappelons aux amoureux et défenseurs d'une République française vigoureuse – dont je suis – que la Révolution de 1789 – à juste titre fierté nationale – ne fut pas un précédent absolu, contrairement à ce qu'on veut bien faire accroire : plusieurs années avant « notre » prise de la Bastille, outre-Atlantique, on se révoltait contre la puissance tutélaire britannique et on bâtissait une Constitution qui imprimait à son fronton les libertés fondamentales auxquelles tous les vrais démocrates se réfèrent depuis.

Enfin, une certaine antipathie pour les États-Unis trouve son explication dans un facteur d'essence plutôt nationaliste, plus populaire, moins élitiste et, à tout prendre, moins pernicieux sans doute que les précédents : la jalousie. Jalousie de la puissance yankee, de la prédominance américaine sur les océans et les continents, beaucoup parmi les nostalgiques d'une France superpuissante la ressentent et en souffrent. Encore convient-il de pondérer le terme de « nostalgique » ; car à quelle époque lointaine doit-on remonter pour apprécier le caractère sinon hégémonique, du moins prépondérant de la France sur les plans politique, diplomatique, économique, militaire ? Au moins à la Belle Époque pour la puissance économique et financière, au Premier Empire pour la puissance militaire, probablement à Richelieu pour l'ensemble. Quoi qu'il en soit, jamais avec un tel écart quantitatif et qualitatif entre la puissance actuelle des États-Unis et celle des autres États, à tous les niveaux. Or, depuis le général de Gaulle, le discours présidentiel français n'a pas réellement varié, qui décline sur un ton grandiloquent les vocables gratifiants de « puissance », de « grandeur », de « rang » et qui maintient dans l'illusion les citoyens sur les réalités géopolitiques du pays. Cette tradition sémantique du prestige politico-militaire – qui traduit et accompagne une authentique représentation déjà très ancienne du rôle de la France comme puissance, et qui m'est personnellement assez sympathique – s'accommode mal de la réalité objective et très perceptible de l'hégémonie américaine. On retrouve du reste fréquemment cette gêne au Quai d'Orsay, où, indépendamment des divergences d'intérêts réels entre Paris et Washington, on exprime parfois une certaine irritation vis-à-vis de ce qu'on désigne comme « l'arrogance » américaine[83]… En définitive, Thierry de Montbrial donne la mesure lorsqu'il affirme : « À côté de l'indispensable clarification du choix européen, la France doit s'obliger à amé-

---

83. L'emploi par l'ancien ministre français des Affaires étrangères Hubert Védrine, de l'expression « des Ponce Pilate » pour qualifier le Américains, avait par exemple provoqué une certaine irritation outre Atlantique. « L'attentisme des États-Unis les fait ressembler à des Ponce Pilate », *Le Figaro*, le 30 août 2001. Après l'attentat meurtrier antifrançais de Karachi (mai 2002), la presse américaine fourmillait d'article revanchards. Ainsi : « Les Français reçoivent un coup qu'ils ont bien cherché. » Charles Krauthammer, *Washington Post*, 11 mai 2002.

liorer durablement ses rapports avec les États-Unis – ce qui est d'abord une affaire de psychologie [...]. Il est temps de décider au plus haut niveau de changer le style de nos rapports et d'affirmer haut et fort la convergence essentielle des intérêts à long terme du monde occidental (l'Europe et les États-Unis) [84]. »

3. *Le procès de l'hyperpuissance*

Réunissant les forces de la coalition internationale contre l'Irak, le père de l'actuel président américain en appelait *ad nauseam*, avec force accents un peu wilsoniens, à un « nouvel ordre mondial » ; celui-ci devait s'inaugurer par la chute du régime dictatorial et impérialiste de Bagdad, par l'établissement (et non le *rétablissement*) de la démocratie dans le Koweït libéré du joug irakien, et se poursuivre par l'aide à l'insurrection des Kurdes du Nord opprimés par Saddam Hussein. En définitive, la guerre s'acheva par une capitulation irakienne juste avant l'encerclement complet des armées de Saddam. Sa garde présidentielle, troupe d'élite, fut donc épargnée. Le « nouveau Saladin » demeura au pouvoir et l'exerce toujours douze années après la promesse « bushiste ». Les Américains étaient et restent en effet soucieux de la cohésion nationale irakienne : la main de fer de Saddam procure un avantage considérable, celui déjà évoqué d'éviter un éclatement de l'Irak en blocs ethno-religieux – sunnites au centre du pays ; chiites au sud, majoritaires en Irak, prenant le pouvoir et s'alliant avec... l'Iran des mollahs, et les Kurdes au nord, créant

84. Thierry de Montbrial, « La politique étrangère et l'image de la France », *Le Monde*, 30 mars 2002.

leur État indépendant et déstabilisant ainsi l'allié turc[85]. Mue par cette dernière crainte, les Américains trahirent leur autre promesse de soutenir la rébellion kurde autour de Mossoul et Kirkouk, bassins pétrolifères de l'Irak, et laissèrent les troupes d'élite de Saddam exterminer plusieurs milliers de civils et de combattants kurdes. Quant au Koweït, il ne devint bien entendu jamais une démocratie.

Pourquoi ce rappel historique ? De façon à accabler la politique extérieure des États-Unis, à prouver le cynisme et l'égoïsme atavique des Américains ? En aucune façon. Sauf à considérer que les Américains seraient par nature portés au machiavélisme ou à l'expansionnisme – idée raciste par excellence –, rien ne distingue fondamentalement la manière américaine de gérer la puissance des manières britannique, française, allemande ou russe/soviétique tout au long des XIXᵉ et XXᵉ siècles. Et l'on pourrait aisément remonter bien plus loin dans le temps. Les techniques d'expansion politique varient, pas les grands principes qui jalonnent la voie de la suprématie. Logique impériale qui s'inscrit non seulement sur les temps longs chers à Fernand Braudel (entités politiques de l'Antiquité ou du Moyen Âge), mais encore sur tous les continents et à plusieurs niveaux d'analyse ; ainsi les petites puissances,

85. Encore que, dans l'optique envisagée par les faucons (Dick Cheney, Donald Rumsfeld...), consistant à évincer Saddam Hussein du pouvoir à Bagdad, le président George W. Bush pourrait être tenté d'aller jusqu'au bout de la logique et de démanteler l'Irak en permettant à l'allié turc d'annexer la région hautement pétrolifère de Mossoul, convoitée par Ankara depuis les années 1920. Hypothèse peu probable, mais suffisamment crédible pour être mentionnée ici.

ou puissances dites régionales, jouent-elles généralement le même jeu de la conquête d'influence ou de souveraineté.

Les esprits chagrins accusent les chercheurs en géopolitique de négliger la morale. Ils ont tort. Nous concevons parfaitement que la morale existe bel et bien dans les relations internationales. Simplement, elle ne constitue qu'une variable dans les prises de décision des gouvernants, une variable plus ou moins importante, mais jamais une constante, contrairement aux intérêts politiques pragmatiques, aux intérêts économiques bien pesés, à la quête de prestige. On peut le regretter[86]. Mais on ne peut sérieusement balayer cette constante d'un revers de main méprisant sans s'aveugler. La leçon demeure : les États – et pas seulement les États-Unis – n'ont que des intérêts, et bien naïfs ceux qui croiraient que le sort des femmes ou des minorités sous tel régime obscurantiste a pu pousser des puissances quelles qu'elles soient à intervenir militairement, comme lors de la campagne afghane de 2001. Aucune puissance qui se représente comme telle n'échappe à cette loi d'airain du pragmatisme. Un État est une convention, une structure hiérarchisée de décision et d'exécution, et on ne doit pas attendre de cette institution les attitudes sentimentales, amicales, fraternelles ou haineuses propres à un être humain. Ni amour ni peine ni colère ; un corpus de valeurs fondamentales communes parfois, et des intérêts toujours, s'exprimant à travers une grille sémantique diplomatique particulière. Le système démocratique intervient normalement en pondérateur, dans la double mesure où les citoyens entretiennent et expriment

---

86. À l'instar de Rudolf el-Kareh dans la *Revue d'études palestiniennes*, « L'Imperium américain, le monde et le chaos », *op. cit.*, p. 7-16.

des préoccupations en matière de politique extérieure, et où
le souverain élu – du fait précis de la nature élective et tem-
porellement circonscrite de son mandat – a des comptes à
rendre. Jamais deux démocraties modernes ne se sont affron-
tées… La mobilisation croissante de mouvements citoyens
au sein des États-nations contribue sans doute à atténuer
cette prédominance de la raison d'État, mais elle n'en constitue pour l'heure qu'un frein non déterminant. En définitive, plutôt que de s'acharner sur le puissant du moment, les
belles âmes gagneraient à s'en prendre intellectuellement aux
mécanismes qui sous-tendent la volonté d'hégémonie politique, et, mieux encore, à réprouver moins tièdement l'acte
criminel d'Al-Qaïda qui permit le renforcement considérable, et pour longtemps, de la logique sécuritaire et militai-
riste du gouvernement américain. Les États-Unis, autorisés,
en vertu de l'article 51 de la charte des Nations unies, à répliquer aux attentats meurtriers de New York, de Washington
et de Pennsylvanie, ont lourdement frappé leurs persécuteurs
d'un jour, retrouvant dans la riposte une cohésion nationale
et un patriotisme d'autant plus surprenants dans leur intensité qu'on les disait sur le déclin. Al-Qaïda aura ainsi rendu
caduque la considération de l'ancien ministre des Affaires
étrangères de Georges Pompidou, Michel Jobert, peu enclin
à l'admiration béate des États-Unis, et qui écrivait, avant la
chute de l'Union soviétique : « Ce n'est pas la première fois,
dans l'histoire de l'humanité, qu'un peuple tente, parce qu'il
est une nation heureuse avec le sort, d'être un empire. En
peu de temps, les États-Unis ont réussi à être l'une et l'autre.
Mais le jeu d'empire est complexe et, longtemps profitable,
implique une discipline fondamentale et une vision constante. Rome n'est plus Rome quand la vertu la quitte.
L'empire ronge son propre cœur et empêche la nation de se

rassembler pour retrouver l'élan d'un pas alerte[87]. » « Vertu », « cœur », « nation » : des termes fréquemment employés par George W. Bush depuis le 11 septembre 2001, et qui traduisent sans nul doute une nouvelle réalité. Cadeau de l'islamisme apocalyptique à une certaine Amérique hégémonique...

Quoi qu'il en soit, le temps n'est plus aux atermoiements et les démocrates doivent prendre position. À cet égard, c'est Jean-Marie Colombani qui a les mots les plus justes : « Le monde est à la croisée des chemins. À chaque peuple de se déterminer. Pour nous, Européens, qui avons condamné l'esprit de guerre froide, la question est clairement : quel est notre camp ? Même si le raisonnement par analogie est toujours dangereux, nous sommes face à une menace équivalant, dans son fond sinon dans son intensité, à celle de l'hitlérisme. Face à celui-ci, fallait-il refuser l'Amérique et sa ségrégation raciale, notamment dans les rangs de ses soldats ? Fallait-il refuser un pays qui déjà soutenait Ibn Séoud, le dictateur Somoza au Nicaragua ? Fallait-il refuser l'Amérique des ententes industrielles et bancaires, voire technologiques, comme certains livres récents l'ont établi, entre certaines de ses grandes entreprises et l'Allemagne nazie ? Fallait-il prendre ses distances avec une Amérique où la première population immigrée a toujours été, on l'oublie souvent, allemande ? Non, bien sûr. Cette Amérique-là, il fallait la soutenir, l'entraîner dans la guerre, et il fallait le faire en sachant ou espérant que certaines réformes viendraient après, peut-être[88]. »

87. Michel Jobert, *Les Américains*, Albin Michel, 1987, p. 217.
88. Jean-Marie Colombani, *Tous Américains ? Le monde après le 11 septembre 2001*, Fayard, 2002, p. 39-40.

B. *En finir avec les complexes et la langue de bois*

1. *Contre la rhétorique du crime*

Le 7 octobre 2001 se produisit un fait médiatique sans précédent. Sans les revendiquer ouvertement (conformément à la
pratique courante des terroristes islamistes), Oussama ben
Laden faisait l'apologie des attentats du 11 septembre lors de la
diffusion urbi et orbi d'un enregistrement vidéo. Se féliciter de
l'assassinat de milliers de civils et menacer de mort des millions
d'autres personnes pour leur appartenance religieuse ou nationale relève, en droit français, de délits précis : apologie de crime
contre l'humanité ; incitation aux actes de terrorisme ; incitation à la discrimination, la haine et la violence raciales[89]. Trois
délits identifiés, caractérisés, passibles des tribunaux correc-
tionnels. Le problème ne réside pourtant pas dans la diffusion
du discours halluciné de Ben Laden et des suivants du même
acabit ; ces propos non seulement procédaient de l'information au sens noble du terme, mais encore permettaient précisément de prendre la mesure du fanatisme et de la dangerosité de
leur auteur. Au sein des rédactions, les journalistes ont fait leur
métier, scrupuleusement. En revanche, comment les pouvoirs
publics peuvent-ils ne pas réagir par voie légale à un tel appel au

---

89. Le délit de l'article 24 alinéa 6 de la loi du 29 juillet 1881 est constitué lorsque, tant par son sens que par sa portée, le propos incriminé tend
à inciter l'auditeur à la discrimination, à la haine ou à la violence envers
une personne ou un groupe de personnes en raison de leur origine ou de
leur appartenance, ou non-appartenance, à une ethnie, une nation, une
race ou une religion déterminées. Ainsi, en juin 2001, l'association Avocats
sans frontières avait obtenu la condamnation par le Tribunal correctionnel
de Paris de la société Regroupement des radios musulmanes de France
Radio-Orient pour complicité de provocation à la haine et à la violence
raciales, après la diffusion en direct du prêche d'un imam de la Mosquée
de La Mecque appelant expressément au meurtre des juifs.

crime ? Pourquoi ne demanderait-on pas dorénavant au Conseil supérieur de l'audiovisuel, non point une censure, mais une déclaration formelle rappelant les conditions de la loi en matière d'apologie de crime contre l'humanité et de provocation à la haine raciale ? Ne prend-on pas la mesure des conséquences désastreuses que peut avoir un discours violemment antichrétien et antijuif, diffusé in extenso et sans commentaires au fond, sur une partie de la jeunesse « beur » en France ? Certes, des observateurs avisés commentèrent les propos outranciers de Ben Laden, mais, d'un point de vue uniquement informatif, géopolitique, analytique. Qui rappela que, diffusés ainsi, sans précautions, dans un climat déjà empoisonné par la surmédiatisation du conflit israélo-palestinien, ils n'étaient pas tolérables, ni moralement ni juridiquement ? À l'avenir, je pense que la diffusion audiovisuelle de tel leader islamiste (ou autre fanatique) appelant au meurtre ou à la ségrégation devrait impérativement être précédé, accompagné ou suivi d'un commentaire, même succinct, rappelant explicitement que les propos diffusés relèvent de telle sanction pénale. Du fond de ses grottes, Ben Laden proclame ce qu'il lui plaît de proclamer, et les journalistes ont toute légitimité pour exercer leur salutaire métier ; il n'empêche qu'ici nul n'est censé ignorer la loi. Imaginons un néonazi proférant au « 20 heures » des propos violemment racistes avec appel au meurtre des Noirs, des handicapés mentaux et des Tziganes, sans qu'ils soient accompagnés de condamnation ou de réprobation… Aujourd'hui, en France, crier publiquement « Vive le génocide arménien ! » ou « Vive Hitler ! » est pénalement répréhensible. Considérant la nature profondément raciste et meurtrière des discours de Ben Laden, crier « Vive Ben Laden ! » après le 7 octobre 2001 devrait l'être tout autant. Après tout, le *Mein Kampf* d'Adolf Hitler n'est autorisé à la vente en France que si l'éditeur reproduit en préambule de l'ouvrage le dispositif de l'arrêt de la Cour d'appel de Paris en date du 11 juillet 1979, lequel impose, au terme d'un texte préventif, la mention suivante : « Le lecteur de *Mein Kampf* doit donc se souvenir des crimes contre l'humanité qui ont été commis en application de cet ouvrage, et réaliser que les manifestations actuelles de haine raciale participent de son esprit. » Or les deux types de discours présentent de fortes similitudes et, à ce titre, il me semble fondamental qu'à l'avenir des brûlots et discours islamistes soient soumis aux mêmes préventions. Exagération ? Qu'on en juge plutôt à la lumière de ce court passage conclusif de la fatwa du Front international contre les juifs et les croisés [les chrétiens], émise le 23 février 1998 et intitulée : Djihad contre les juifs et les croisés : « La règle de tuer les Américains et leurs alliés – civils et militaires – est un devoir individuel pour chaque musulman qui peut le faire partout où il est possible de le faire [...] [90]. » Un État de droit qui se respecte ne peut souffrir la diffusion de ce type d'appels au meurtre sans réagir.

Voilà pour la loi. Mais la pédagogie ne me paraît pas moins importante pour lutter contre le fléau. Dans les mois qui suivirent le 11 septembre, après chaque diffusion d'un discours enregistré de Ben Laden ou la lecture d'un communiqué incendiaire d'Al-Qaïda, les grandes chaînes télévisées britanniques – et notamment CBS-News – invitèrent sur leurs plateaux respectifs et en direct un dignitaire religieux musulman britannique ou étranger. La question posée à l'exégète, invariablement, portait sur l'authenticité islamique des propos tenus. Et, invariablement, la réponse correspondait en substance à un rejet catégorique et étayé du fanatisme

---

90. *Hyperterrorisme, la nouvelle guerre, op. cit.*, p. 37. On retiendra également ces propos accordés au *Times* : « Si l'incitation au Djihad contre les juifs et les Américains est considérée comme un crime, que l'Histoire témoigne que je suis un criminel. » Cité in Antoine Basbous, *op. cit.*, p. 47.

d'Al-Qaïda[91]. Se faisant fort d'être des musulmans pratiquants, imams bons connaisseurs de l'islam pas nécessairement pro-occidentaux, les invités que j'ai pu entendre à plusieurs reprises dénonçaient simultanément le recours au
suicide, l'appel au meurtre, l'antisémitisme ou encore le
Djihad façon intégriste comme contraires à la lettre et à l'esprit
du Coran ; de surcroît, ils rappelaient que Ben Laden ne jouis-
sait d'aucun titre religieux ou spirituel reconnu l'autorisant à
promulguer des fatwas et autres appels au meurtre au nom de
l'islam[92]. Ces réponses étaient probablement sincères. Mais,
au fond, ce qui importe, c'est qu'elles aient été dites publiquement, écoutées par des centaines de milliers de jeunes

91. Radical dans ses condamnations de l'islamisme, le cheikh Abdul
Hadi Palazzi, secrétaire général de l'Association musulmane italienne, a
compté parmi ces intervenants.
92. Il serait par exemple urgent d'indiquer que le cheikh Ahmed Tan-
tawi, haute autorité du monde cultuel musulman dans son statut de doc-
teur en théologie (auteur d'une thèse en l'espèce violemment antijuive), et
surtout de directeur de la prestigieuse université islamique d'Al-Azhar du
Caire, « dénonça l'imposture d'Oussama ben Laden et lui dénia toute légitimité de s'attribuer la posture de l'imam ; il rappela au milliardaire saoudien qu'il n'avait ni l'autorité morale ni la compétence doctrinale pour
appeler à la guerre sainte, laquelle devait obéir à des conditions particu-
lières pour être proclamée canoniquement irrécusable ». *La Maladie de
l'Islam*, *op. cit.*, p. 131. On notera, dans la même logique, un jugement
analogue (mais suivi, là, d'une considération stratégique !) dans la bouche
d'un éminent professeur qatariote en théologie, le cheikh Qardhawi, prédicateur fameux et chroniqueur régulier sur la chaîne Al-Jezira, rapporté
par Gilles Kepel. Selon lui, « il [Ben Laden] ne saurait se qualifier de doc-
teur de la loi, donc émettre aucun avis juridique, aucune fatwa : il est un
"sermonaire" (wa'ez) – le rang le plus bas de la hiérarchie des prédicateurs
dans l'acception courante. C'est cette absence de savoir qui lui a fait com-
mettre l'erreur fondamentale de lancer un djihad contre l'Occident », ce
qui « n'a plus de sens aujourd'hui où l'on dispose d'Internet et de la télévision par satellite. La propagation et l'expansion de l'islam, le prosélytisme, peuvent s'y dérouler sans violence ». Gilles Kepel, *Chronique d'une
guerre d'Orient*, Gallimard, 2002, p. 75.

musulmans britanniques. On n'a pas eu suffisamment recours, dans la France médiatique de l'après-11 septembre, à ce type de spécialistes musulmans de l'islam, et notamment, efficacité à convaincre et à sensibiliser oblige, aux hommes de foi parmi eux. Je pense en particulier à un Dalil Boubakeur, recteur de la Grande Mosquée de Paris, ou à un Soheib Bencheikh, mufti de Marseille, tous deux citoyens français musulmans épris de paix et dont les discours sont responsables et courageux.

La lutte contre les outrances verbales et la stricte application des lois en matière de racisme et de négationnisme doivent se conjuguer avec la désignation claire et la dénonciation d'actes délictueux, voire criminels, de type islamiste. Lorsqu'un individu lance un cocktail Molotov sur une synagogue en signant son acte d'un graffiti ou d'un tract explicitement pro-Ben Laden ou pro-islam de manière générale, il faut condamner le délit en tant que tel. Que l'auteur du délit (ou du crime s'il s'agit d'un incendie volontaire) n'ait jusque-là exercé ses « talents » de délinquant que sur des autoradios ou des cyclomoteurs, ou qu'il ne connaisse pas le plus modeste verset de la moindre sourate du Coran ne modifie pas fondamentalement les données du problème. Car, en feignant d'ignorer le caractère raciste de son acte, on prend l'écrasante responsabilité d'en encourager d'autres du même type et, de surcroît, de donner l'impression d'abandonner à leur sort des citoyens agressés dans leur identité cultuelle et culturelle. De la part des pouvoirs publics, une telle attitude digne de l'autruche serait excessivement préjudiciable à très brève échéance comme sur le long terme ; on sait en effet que lorsque l'État – mais ce n'est fort heureusement pas pour l'heure le cas en France – n'assure plus son rôle de garant non seulement des institutions, mais de la sécurité pour tous, le

« monopole de la violence légitime » lui échappe au profit des groupes se percevant comme abandonnés. Autant il est positif chez les autorités politiques et judiciaires de chercher à apaiser les esprits, de ne pas jeter de l'huile sur le feu en stigmatisant un ensemble de citoyens comme responsables d'actes (de moins en moins) isolés, autant taire le phénomène et passer les délits et crimes racistes par pertes et profits de l'insécurité générale relève du geste vain consistant à dissimuler la poussière sous le tapis.

Une logique de complaisance similaire est à l'œuvre, sur le plan sémantique, s'agissant de l'islamisme à l'extérieur des frontières nationales, où, pourquoi le nier, un certain « politiquement correct » prévaut aussi, notamment dans les cas de violences chroniques qui sévissent dans un certain nombre de pays. De l'Indonésie au Nigeria en passant par l'Égypte et le Soudan, combien d'entrefilets de nos quotidiens avaient pour titre timide et consensuel ces dernières années, du moins avant le 11 septembre 2001, « massacres interethniques », ou « combats interreligieux », alors que de manière quasi systématique le corps du texte évoquait la réalité, à savoir des massacres ou des attaques opérés par des groupes islamistes armés contre les populations chrétiennes ou animistes voisines[93] ?

93. D'autres vérités semblent réellement trop désagréables à rappeler lors des forums relatifs aux droits de l'Homme. Ainsi, à Durban, en août 2001, tandis que les nécessaires débats sur le rôle de l'Europe et des États-Unis dans l'esclavage étaient confisqués par les États et ONG arabes les plus violemment antisémites, nul ne rappelait que parmi les régimes à avoir le plus massivement et le plus longtemps pratiqué l'esclavage avaient figuré et figuraient encore des États arabes musulmans... Triste réalité régulièrement dénoncée par Amnesty International.

Les qualificatifs dont furent souvent affublés les terroristes qui marquèrent cette journée ne laissent pas de surprendre. Combien de fois a-t-on lu et entendu les termes impropres d'« activistes », ou de « militants » d'Al-Qaïda à leur sujet (sans revenir sur le qualificatif inapproprié de « kamikaze ») ? Si le bilan de ces individus n'avait été si meurtrier, on pourrait sourire à imaginer, dans les avions-missiles pris en otages, des « militants » ébouriffés et boutonneux s'évertuant à couvrir d'autocollants les hublots, et proférer des slogans soixante-huitards en distribuant des tracts aux passagers ! À raison de trois mille morts la demi-journée, on peut prendre acte de l'efficacité des « activistes » d'Al-Qaïda... Si le terme de « terroriste » ne s'applique pas aux islamistes du 11 septembre ni aux poseurs et déclencheurs de bombes parmi les civils de Srinagar et de Tel-Aviv, il ne s'appliquera jamais[94]. De même pour les « hommes armés » ou les « activistes » (!) des GIA en Algérie, qui ont déjà à leur actif plusieurs dizaines de milliers de victimes (presque toutes des civils, femmes, enfants et nourrissons compris), égorgées, violées, émasculées, etc., soit un bilan tout de même un peu singulier pour des « hommes armés ». Je ne réclame pas une inflation sémantique dans la couverture de ces horreurs, et j'admets, à l'instar de connaisseurs compétents de l'islamisme, qu'il est important de connaître les ressorts et l'engrenage permettant de les expliquer. Une certitude demeure : les auteurs de ces actes sont bien des *terroristes*, et

94. Srinagar est la capitale du Jammu-et-Cachemire, région administrative sous contrôle indien mais revendiquée par des groupes pro-pakistanais soutenus par Islamabad. La ville est le théâtre permanent de violences et d'attentats, y compris suicides, perpétrés par ces groupes séparatistes musulmans.

de la pire espèce – ceux qui tuent aveuglément des civils objectivement inoffensifs en les faisant souffrir atrocement –, et il convient de les désigner comme tels. Autres exemples, moins graves sans doute, mais tout aussi révélateurs : à Paris, en septembre 1996, des associations homosexuelles et anti-sida ont défilé contre la venue du pape avec des bande-roles qui portaient sa photo avec pour unique inscription « Haine ». Aucune réaction dans les médias. Le rejet de l'emploi des préservatifs par le Vatican me semble rétrograde et – en période d'épidémie de sida – irresponsable. Mais, sur le fond, n'aurait-on pas crié au racisme s'il se fût agi d'un haut dignitaire musulman, sachant que l'islam traditionaliste s'arc-boute sur des positions au moins aussi dures ? Voire. Dans les années 1980, un rabbin extrémiste, Méïr Kahana, était qualifié de façon absolument systématique de « rabbin raciste », avec raison, puisqu'il prônait l'expulsion des Arabes d'Israël et les insultait copieusement. A-t-on seulement une fois entendu les expressions infamantes d'« imam raciste », de « cheikh raciste », d'« ayatollah raciste » ? Jamais. L'imam égyptien Tantaoui depuis Le Caire, le cheikh palestinien Yas-sine depuis Amman ou Gaza, l'ayatollah iranien Khomeyni depuis Téhéran – pour ne mentionner que les plus célèbres – n'ont-ils pourtant pas prêché publiquement *ad infinitum*, et parfois mis en œuvre, une haine fanatique des juifs et des chrétiens ? Un rappel nécessaire de taxinomie : dans la langue française, qualifier de « raciste » équivaut à condam-ner moralement de façon autrement plus sûre que de traiter d'« extrémiste », de même que « massacre » pèse d'un poids de sang et de sensations plus lourd qu'« attentat ». L'extré-miste pourra peut-être se modérer, et l'attentat (qui aura pu échouer) renvoie à une certaine distance entre meurtrier et victime (armes à feu, explosion) ; tandis que le raciste l'est viscéralement, et que le massacre (qui n'a pu qu'avoir lieu) désigne une tuerie forcément abominable où se mêlent les effusions de sang et l'écœurante promiscuité entre bourreau(x) et victimes (invariablement nombreuses).

Enfin, s'agissant du pouvoir taliban alors en place à Kaboul, on se souvient que le président de la République, dans son allocution télévisée qui fit immédiatement suite aux attentats de New York, l'avait qualifié de « régime barbare ». Il faisait bien, étant dans le vrai, et il n'était que temps de l'exprimer, même s'il aura fallu pour cela que les Twin Towers s'effondrent et que Washington gronde[95]…

2. *Notre client le roi… et les autres*

Il en va de même pour les régimes fondamentalistes ou ceux qui propagent activement l'islamisme. Pendant près de vingt ans, entre 1979 et la fin des années 1990, on a régulièrement pointé du doigt la République islamique d'Iran, laquelle était en effet – et demeure en 2002 dans une large mesure – une simili-théocratie fortement soupçonnée de soutenir des actions terroristes, accusée de vou-

---

95. Allocution télévisée du 7 octobre 2001 au soir (TF1 et chaînes du service public). Hélas, seulement quelques semaines auparavant, un ministre du « gouvernement » du mollah Omar avait foulé les marches de l'Élysée, tandis que le commandant Massoud devait se contenter de celles de l'Assemblée nationale… J'écris cela conscient qu'il convient d'en finir avec le culte quasi idolâtre de Massoud. Rempart non islamiste et pragmatique au fanatisme des talibans, « il fut néanmoins responsable de la mort de 120 000 personnes » au cours des années 1992-1996. (Jacques Barrat au colloque intitulé *Droit des médias et guerre le droit du public à l'information menacé ?*, organisé par le DEA de droit de la communication de l'université Paris-II, tenu au Sénat le 29 avril 2002.)

loir « exporter » sa révolution islamiste dans l'ensemble du monde arabo-musulman. L'Iran, perse et chiite, exporter sa révolution au sein de l'immense majorité sunnite de l'islam, et en particulier chez les Arabes de Mésopotamie et du Golfe, rivaux de toujours ? On s'est moqué ! L'arbre iranien de Khomeyni a en fait permis de cacher la forêt saoudienne du wahhabisme… « Je ne pense donc pas que l'Occident soit en guerre contre l'islam mais contre les déviances de ceux qui, avec l'argent des pétrodollars, exploitent les peuples en les drapant dans des valeurs islamiques interprétées par des néofondamentalistes. Or c'est l'Arabie saoudite qui réédite et publie les œuvres d'Ibn Taymiyyah, le penseur clé pour comprendre l'orthodoxie particulière de l'islamisme radical. Mais c'est aussi ce pays qui pratique de façon excessive la peine de mort, qui distribue dans tout le monde arabo-musulman *Les Protocoles des Sages de Sion*, qui finance les écoles, les mosquées et certains mouvements zélateurs aussi bien en Afrique qu'au Sud-Est asiatique et en Europe, qui forme des imams dans le Dar al-hadith et à Riyad, concurrentiels avec les savants d'Al-Azhar et de Téhéran. Ainsi, par exemple, une fatwa venue des puritains wahhabito-saoudiens et reprise, hélas, par les oulémas du Maroc vient de décréter que le jeu « Pokémon » est une attaque « judéo-maçonnique » contre le Prophète et l'islam diffusant les idées de Darwin, donc contraires à la Shari'a [96]. » Ajoutons à la liste édifiante de Bruno Étienne le soutien financier à de nombreux groupes

---

96. Bruno Étienne, *op. cit.*, p. 37. Rappelons que les *Protocoles des Sages de Sion* constituent un faux violemment antisémite fabriqué par la police secrète tsariste à la fin du XIXᵉ siècle. L'affaire des « Pokémon », ridicule en soi, atteste du niveau déconcertant atteint tant par la judéo-phobie que par la haine antimaçonnique dans certains pays arabes.

islamistes séditieux et séparatistes à travers le monde, (dont le Hamas palestinien, concurrent direct et dangereux de l'OLP de Yasser Arafat), les facilités bancaires pour certains groupes, y compris Al-Qaïda de manière indirecte (canaux privés, complicités claniques et familiales…), et cela des Philippines à l'Afrique noire en passant par la Bosnie. Tel est le véritable visage de l'exportation de l'islamisme [97]. En 1987 déjà, Jean-François Revel posait clairement la question : « Mais à quoi sert de répéter que nous sommes en guerre ou que le terrorisme international d'État s'en prend de préférence aux démocraties – notions, d'ailleurs, qui n'ont été acceptées qu'avec beaucoup de retard – si nous avons peur d'en tirer des conséquences pratiques ? Car nous avons peur et de ce fait continuons de traiter comme un problème interne de maintien de l'ordre ce qui est en réalité un problème de relations internationales [98]. »

Aujourd'hui, ce questionnement demeure, sempiternel mais qu'on peut s'offrir le luxe de poser avec une insistance particulière depuis le 11 septembre 2001 : pour des raisons morales et politiques, un État démocratique sociologiquement fragile face au terrorisme ne doit-il pas interrompre ses relations avec un régime objectivement peu éloigné des causes du fléau ? En l'espèce, deux possibilités se présentent. La première : décider, de concert avec les partenaires européens et

---

97. Se reporter aussi à l'ouvrage fouillé de Jean-Charles Brisard et Guillaume Dasquié, *Ben Laden, la vérité en face*, Denoël, 2001. L'Arabie saoudite investit 10 milliards de dollars par an au titre de la propagation du wahhabisme…

98. Jean-François Revel, *Le Terrorisme contre la démocratie, op. cit.*, p. 127.

américains, l'isolement commercial et diplomatique de Riyad tant que se poursuivra sa politique d'exportation de l'islamisme, avec pour résultat espéré un coup de frein à l'accroissement des encadrements et des actions islamistes violentes dans le monde ; mais il faudra alors probablement licencier des milliers de travailleurs de l'industrie militaire française, et peut-être même limiter la consommation d'essence des automobilistes pendant quelque temps[99]. Seconde possibilité, celle qui n'a jamais cessé d'être mise en œuvre : faire mine d'ignorer les activités ouvertement subversives de Riyad en contre-partie de fructueux marchés et d'un approvisionnement régulier en brut. Dans la balance, les traités du fanatique Ibn Taymiyyah investissant en masse les mosquées africaines, asiatiques et occidentales, la pratique punitive des coups de fouet, les brimades et expulsions des chrétiens priant (même discrètement) dans le pays, l'interdiction de conduire pour les femmes, les amputations de la main pour vol, les lapidations publiques de femmes adultères (« la première pierre est lancée par l'imam et un camion-benne déverse le reste des pierres sur la coupable ! »), ainsi que les épouvantables conditions de vie des travailleurs asiatiques, ne pèsent hélas pas très lourd face aux chars d'assaut et aux avions de combat

99. À ce jour, un fabuleux contrat de vente de 355 chars d'assaut Leclerc est toujours en suspens avec Riyad ; d'où la visite expresse de l'ancien ministre de la Défense Alain Richard dans la capitale saoudienne, le 6 avril 2002 et, de manière générale, une diplomatie particulièrement avenante pour le régime saoudien ces dernières années. Si le contrat était finalement signé (après huit années de négociations !), il rapporterait à la France plus de 7 milliards de dollars et sauverait des milliers d'emplois sur les différents sites du constructeur en difficulté, GIAT Industries... *Le Canard enchaîné*, 7 mai 2002.

achetés à prix d'or[100]. Ou d'or noir, plus précisément. Car non seulement l'Arabie saoudite représente 12,5 % du brut exporté sur la planète et recèle plus de 25 % des réserves mondiales de pétrole, mais elle dispose assez largement des stratégies pétrolières des petites pétromonarchies de la péninsule Arabique. L'ensemble est, à l'heure actuelle, incontournable. Quant aux armements lourds, Riyad et ses alliées du Conseil de coopération du Golfe comptent parmi les dernières capitales au monde à avoir à la fois la volonté et les moyens de les acheter[101]…

À l'inverse, plus loin en Asie, alliant la défense de la morale et la lutte pragmatique contre l'islamisme, on trouve l'Inde. En Europe, et en France en particulier, nous serions bien inspirés de ne pas oublier l'existence de cette grande démocratie susceptible de devenir partenaire et, pourquoi pas, alliée. Depuis la chute de son allié soviétique, New Delhi entreprend des démarches actives pour se reconstituer un pôle d'appui diplomatique et stratégique. On l'a vu, tel était le sens des offensives d'artillerie indiennes sur les positions pakistanaises, par-delà les crêtes des hauts massifs cachemiris, alors que les États-Unis recherchaient des appuis logistiques dans la région au cours de leur campagne afghane. Façon pour le Premier ministre (nationaliste

100. Anne-Marie Delcambre, *op. cit.*, p. 22.

101. Encore l'économie saoudienne présente-t-elle de sérieuses difficultés, avec une dette publique évaluée à 168 milliards de dollars pour 2001, soit 120 % du PIB global du pays ! *Arabies*, n° 184. D'où, vraisemblablement, une ligne géostratégique moins agressive que souhaitée à l'égard des États-Unis, comprenant la fameuse proposition saoudienne de paix adressée à Israël en février 2002. Quoi qu'il en soit, d'éventuelles pressions sur Riyad n'auraient de sens qu'imposées concomitamment aux États-Unis et à nos principaux partenaires européens.

hindou) Atal Bihari Vajpayee d'annoncer, en substance :
nous, Indiens, avons également des choses à offrir dans
une éventuelle corbeille d'alliance… État aux institutions
et scrutins authentiquement démocratiques (en dépit de
graves difficultés sociales et de la survivance populaire des
castes), puissance nucléaire relativement stable susceptible
d'incarner un rempart face à l'islamisme pakistanais, pays
peuplé par plus d'un milliard d'habitants ayant pourtant
réussi un spectaculaire développement agricole, industriel
et à présent technologique, l'Inde me semble représenter
une piste d'engagement autrement solide et fréquentable
que son turbulent voisin occidental, ataviquement porté
au radicalisme. Car l'identité intrinsèque du Pakistan, sa
raison d'être par rapport à l'Inde contemporaine, le sens de
sa sécession à la suite de l'obtention de l'indépendance des
Indes britanniques en 1947, tout se cristallise autour de la
réalité très majoritairement musulmane sunnite de sa
population. Cette carte identitaire est jouée depuis un
demi-siècle simultanément face à l'Iran chiite et – surtout
– contre l'Inde, profondément méprisée pour son
« polythéisme », en fait son hindouisme majoritaire[102].
Rongé de l'intérieur par un islamisme grandissant (environ
30 000 madrassa, dont 5 000 où s'enseignent un islamisme pur et dur ainsi que le maniement des armes), y
compris dans les sphères militaires et celles du renseignement (tentatives d'infiltration de la Jamiat Ulema-i-islam),
éclaté en diverses régions ethniques souvent antagonistes,

102. Les philosophies orientales telles que bouddhisme et hindouisme sont généralement considérées par l'islam comme idolâtres et
païennes – contrairement au judaïsme et au christianisme, religions du
Livre – et, à ce titre, dans les interprétations les plus dures, leurs adeptes
ne méritent que la mort.

menacé par la reviviscence de la représentation géopolitique d'un grand Pachtounistan, financièrement handicapé par la très budgétivore guérilla du Cachemire, le Pakistan présente tous les symptômes d'un État menacé d'implosion politique à court ou à moyen terme. Ce qui, a priori, n'est pas le cas de l'Inde. Il semble du reste que Washington ait commencé depuis plusieurs années à se réorienter progressivement dans cette direction, en dépit des efforts herculéens du président pakistanais Moucharraf pour convaincre son allié de lui demeurer fidèle et exclusif. Au cours des mois et des années à venir, il sera intéressant d'observer le choix de Paris et de Bruxelles dans cette zone géostratégique de plus en plus sensible [103].

Par ailleurs, dans le cadre d'un vaste plan d'endiguement arabo-occidental de l'islamisme, l'Union européenne pourrait jouer un rôle complémentaire à celui qu'incarnent les États-Unis, essentiellement militaire et coercitif, consistant à subventionner au titre de ce combat des régimes arabes tempérés, se distinguant par des efforts simultanés de démocratisation et de lutte contre l'intégrisme. Il ne s'agirait pas de chèques en blanc, mais d'aides à la construction d'infrastructures sociales et, surtout, éducatives, dans la mesure où s'exprime une véritable volonté nationale – en termes de gestion rationnelle des ressources, de lutte contre la corruption et d'éducation – d'appauvrir progressivement le ter-

---

103. La coopération militaire franco-pakistanaise connaît depuis 1970 un niveau très élevé, notamment dans le domaine des flottes de combat de surface comme sous-marines. Fructueuses et stratégiquement positives tant qu'un pouvoir pro-occidental se maintient à Islamabad, la vente et la construction par Paris d'armes sophistiquées pourraient s'avérer contre-productives, voire à double tranchant, en cas d'avènement d'un régime islamiste radical.

reau de l'intégrisme nourri aussi par la misère et l'analphabétisme. Sans vouloir donner l'impression de distribuer « à
l'américaine » des bons et des mauvais points, je pense à
des États comme la Jordanie ou le Maroc. Dans tous les
cas de figure, il convient de ne pas sacrifier sur l'autel de la
lutte contre l'islamisme des groupes humains vulnérables
ou minoritaires : femmes, opposants politiques démocrates, homosexuels, chrétiens et animistes, etc.

C. *En France : nation et laïcité,*
les armes de la patrie en danger

Par son positionnement géographique et sa composition sociologique, la France se trouve en première ligne du
combat à mener contre l'islamisme. Plusieurs millions de
citoyens musulmans – la plupart d'origine arabe – constituent des cibles extrêmement intéressantes pour une propagande locale ou en provenance de l'étranger sans cesse
plus active. Le fait que plusieurs dizaines de Français
musulmans aient rejoint ces dernières années les réseaux
d'Al-Qaïda – dont certains au sein de la structure afghane
– en est une traduction édifiante. L'heure n'est pourtant
pas encore au catastrophisme, et évoquer ces « Afghans »
(des Français nés catholiques ou protestants convertis à
l'islam pour certains) n'autorise pas à affirmer qu'ils ne
constituent que la partie émergée d'un iceberg. Dans leur
immense majorité, les Français musulmans rejettent catégoriquement l'embrigadement aliénant, les modes de vie
contraignants, l'odieuse misogynie et l'appel à la haine et à
la violence des divers courants islamistes qui se partagent le

marché. Mais, d'une part, rien n'est jamais définitivement acquis, d'autre part le fléau islamiste progresse sous ses divers aspects, et quel que soit son degré d'intensité : discours antichrétien et antijuif d'inspiration (pseudo) coranique ; port du *hidjab* (voile islamique) sous la pression familiale ; prosélytisme ; intimidations et incivilités dans certains lycées ; tentatives de financement par Riyad de mosquées et d'institutions ; montée en influence de la secte piétiste du Tabligh et, plus grave, « épopée » de Khaled Kelkal ; attentat déjoué contre la cathédrale de Strasbourg ; attaque au lance-roquettes du commissariat de Béziers, etc. Sans alarmisme, il convient de regarder le phénomène en face et de lui opposer la République dans toutes ses dimensions, elle qui a déjà fait ses preuves en d'autres temps difficiles.

1. *Une quête identitaire compréhensible*

Peut-on reprocher au jeune « beur » – affublons-le du vocable de circonstance – de vivre un mal-être identitaire dans la France d'aujourd'hui ? Un enfant, un adolescent peut-être davantage encore, se construit socialement autour d'une identité admise, reconnue, fût-elle plurielle, et donc complexe. Ce *je suis*, nécessairement valorisant, procure fierté et dignité. Il apparaît soit original en regard de l'environnement ethno-religieux ou culturel – et offre alors une singularité faite de curiosité, d'exotisme, de mystère (je suis *celui* qui est/*celui* qui vient de) – soit, plus généralement, similaire aux autres, aux copains, aux commerçants, aux autorités, et permet de se fondre facilement dans le moule culturel local, régional, national. Le malaise intervient lorsqu'on ne se *représente* plus sa propre identité comme gratifiante, ou lorsque les autres ne se la *représentent* plus comme telle.

Est-il valorisant pour un adolescent d'origine algérienne, en 2002, de se définir comme algérien, sachant que cette origine renvoie instantanément, par le prisme réducteur du « 20 heures », à une interminable guerre civile larvée, à des actes de barbarie, à la gabegie socio-économique… Parviendra-t-il à donner à ses camarades issus de contrées différentes autre chose que l'image dégradante de ces calamités ? À l'heure actuelle, rien ne le laisse supposer. Le jeune « beur » d'origine marocaine, algérienne ou tunisienne peut aussi s'affirmer, en priorité et de manière plus large, arabe. Mais en connaît-il seulement la langue, et si oui, est-elle vernaculaire ou s'exprime-t-il plus probablement en français dans la vie quotidienne ? A-t-il seulement déjà traversé la Méditerranée ? Nourrit-il concrètement – à l'instar de ses parents ou grands-parents – un attachement réel à cette culture, ou son identité n'est-elle constituée que de bribes (quelques expressions, quelques mélodies, quelques noms glorieux) ? Et, là encore, de quelle nature sera la *représentation* récurrente de l'arabité (ou du fait arabe, ou du monde arabe) par l'Autre, l'homme de la rue, le « keuf » (flic), la jeune fille courtisée, le voisin de palier, les camarades d'école ? La grandeur de la dynastie omeyyade ? La transmission des épices, des chiffres et des techniques par des marins et cavaliers intrépides ? Un corpus poétique richissime ? Ou plutôt le « vu à la télé », c'est-à-dire l'absence de démocratie, les scènes de violence, l'obscurantisme religieux, des mœurs rétrogrades sous haute pression sociale, des rues défoncées témoignant d'un marasme économique flagrant et presque systématique du Tigre à l'Atlantique, des défaites militaires à répétition ?

Cherchant à échapper à la fois aux clichés faciles et à ces réalités hélas authentiques, le jeune « beur » pourrait se représenter comme européen, d'autant qu'il dispose du droit de vote, grâce au traité de Maastricht, dans toute l'Union européenne. Mais, dans les faits, dans le quotidien, qui agit, qui pense, qui vit réellement européen ? Qui utilise régulièrement une langue autre que le français ? Qui, non seulement passe des vacances de temps à autre, mais effectue des séjours prolongés chez les voisins européens ? Pas le jeune « beur », en tout cas, que son profil social et professionnel confine le plus souvent à la proximité du quartier, dont la maîtrise d'une langue étrangère européenne sera approximative s'il fut élève en lycée « difficile », et dont les modestes moyens ne lui permettront pas toujours de voyager. Quant à la dimension culturelle... Dans la société française d'aujourd'hui, existe-t-il des espaces démocratiques et réellement accessibles qui proposent un panorama culturel des différents partenaires de l'Union ? Combien de fois un élève de France aura-t-il voyagé, dans le cadre privilégié de sa scolarité, chez nos voisins européens ? Une fois, deux fois quelques jours, en général par le biais d'échanges ou de visites linguistiques, guère davantage. Cela ne peut suffire à créer ne serait-ce que l'embryon d'une conscience d'appartenance. À Saint-Denis, que connaît-on de l'Irlande, du Portugal, du Danemark ou de la Grèce ? Pas assez sans doute pour se sentir, se représenter, se choisir européen. L'Europe, en vérité, est présente dans nos porte-monnaie, à travers les réglementations techniques et dans le concert onusien des nations, pas encore dans les cœurs, et à peine dans les têtes des citoyens, en particulier dans les « banlieues ».

Reste donc l'islam. La dernière foi monothéiste en date, présentée du reste par ses adeptes et exégètes, et de manière définitive, comme l'ultime. La religion numériquement la plus importante sur la planète (à condition de dissocier les religions chrétiennes), souvent présentée comme celle des déshérités, des opprimés, celle aussi des Palestiniens [104]. Voilà qui devient cette fois valorisant. D'abord parce que l'appartenance religieuse, l'adhésion à une foi, voire l'exercice d'un culte sont politiquement inattaquables ; il s'agit pour le néophyte de s'extraire du champ du politique, et par conséquent du débat, de la contradiction, de la sphère publique, et ainsi d'échapper à la critique. Car, derrière, il y a des Textes, plus exactement un récit immuable et une tradition, le dogme, le corpus des certitudes, les réponses à tout, l'absence de doute. Enfin une identité structurée et structurante ! Ensuite parce qu'on pourra toujours arguer du fait que les massacres en Algérie, les crimes commis sur les femmes et leur oppression dans plusieurs États, les mutilations et flagellations légales en Arabie saoudite, etc., ne relèvent pas vraiment d'une lecture de « juste milieu », que leur application trop fréquente ou trop sévère est le fruit d'une interprétation trop rigoriste du Coran. Enfin, et surtout, vers quel type d'enseignement les jeunes « beurs » en quête d'identité forte se tournent-ils trop souvent ? Celui, ouvert, tolérant et authentiquement républicain prôné et dispensé par la Grande Mosquée de Paris ou dans les cercles de croyants liés à ce mensuel de qualité, de tempérance et de libre réflexion qu'est la *Médina* ? Hélas, tout porte à croire qu'au contraire une captation identitaire partielle et dénaturée se développe chez de

104. En 2002, environ 98 % des Palestiniens sont musulmans.

nombreux jeunes musulmans en France, et cela dans deux sens distincts et pour des résultats différents[105].

Une identification presque spontanée se développe dans un premier temps ; on se solidarise avec les « frères ». En guise de frères, combien parmi ces centaines de jeunes « beurs » qui ont badigeonné sur autant de murs, de couloirs ou de wagons en France des graffitis favorables à Ben Laden, durant la campagne militaire de l'automne 2001, sauraient repérer l'Afghanistan sur le globe terrestre ? Combien, parmi les jeunes « beurs » auteurs d'insultes ou de slogans antisémites, seraient capables d'exprimer quelque chose d'intelligible quant au conflit israélo-palestinien, de plus élaboré qu'une réprobation exclusivement née d'images télévisées mal digérées de violence[106] ? Combien de « beurs » ayant sifflé *La Marseillaise* et envahi la pelouse au Stade de France en octobre 2001 connaissent le contenu de l'hymne, et combien parmi ceux qui ont applaudi celui de l'Algérie en comprenaient seulement un mot ? Ni amalgame ni complaisance à travers ces fausses questions : je tiens seulement à établir une distinction entre, d'une part, une captation identitaire superficielle (qui peut d'ailleurs mener à des faits gravissimes, comme l'incendie volontaire de synagogues) et inorganisée, plus

105. Cf. l'enquête réalisée en 2001 par l'Institut français des relations internationales (IFRI) consacrée à l'islam à l'école. Le problème réside dans le fait même qu'un enseignement islamiste au rabais, ce que Saïda Rahal Sidhoun qualifie de « mélange indigeste d'anathème sans imagination et de religiosité sans spiritualité » conduit à la haine et à la déstabilisation, in « Le Deuil et le fardeau… la férocité en sus », *Confluences Méditerranées*, n° 11, été 1994.

106. Lire l'article très complet de Laurent Chabrun, Claire Chartier, Hélène Chaillot et Marc Leras, « Les nouveaux antisémitismes français », *L'Express*, 25 avril 2002.

ou moins spontanée et souvent éphémère, et, d'autre part, un engagement anticivique et antirépublicain plus profond et plus périlleux encore pour la pérennité de la paix civile.

2. *Vive la nation*[107] !

Devant cette crise d'identité et ce *vacuum*, propices à la propagation de l'islamisme, je propose la France. Sans chauvinisme, sans nationalisme, sans considération politique partisane, mais avec patriotisme. La France puissante de ses institutions démocratiques, honorable par sa tradition jamais démentie d'accueil et d'intégration républicaine, belle du droit du sol et de l'égalité politique de tous ses citoyens, vénérable par son histoire longue et riche, terriblement précieuse par sa laïcité constitutionnelle. Mais la France *représentée* comme une *nation*. Sans l'idée de nation, la France se réduit soit à un ensemble de paysages – certes diversifiés et fort jolis, mais de tels paysages existent ailleurs –, soit à une zone fiscale et administrative quelconque plus ou moins interchangeable, impersonnelle. Bref, un concept creux impropre à structurer des individus dans leur identité, et

107. Il y a quelques années, lors de sa parution, un livre portant ce titre d'Yves Lacoste (Fayard, 1997) avait été fraîchement accueilli par une certaine critique. On lui reprochait notamment de faire du nationalisme. Les mêmes qui le critiquaient alors rivalisèrent de trémolos pour entonner *La Marseillaise* au lendemain du premier tour de l'élection présidentielle de 2002, comprenant enfin qu'il était salutaire que la République se réapproprie ses symboles les plus forts, instrumentalisés par l'extrême droite depuis de trop nombreuses années. Et lorsque les mêmes « progressistes » se souviendront que la nation est originellement une idée de gauche, un cap aura été franchi. Hélas, nous n'en sommes pas là…

qui ne propose pas un choix de société cohérent à un adolescent en quête de modèles. Cette France dont arborer les symboles (drapeau tricolore, *Marseillaise*, etc.) et vanter les mérites démocratiques était perçu comme « ringard », voire suspect par beaucoup avant le second tour de l'échéance présidentielle de 2002... Faisons mentir Pascal Bruckner lorsqu'il diagnostique avec la sévérité qui convient : « La France est un pays qui ne s'aime plus, vit dans la conscience désolée de sa grandeur perdue et se complaît à la fois dans le misérabilisme et la suffisance. Il lui manque et cet orgueil d'exister si frappant chez les Américains – il est ahurissant qu'il ait fallu les derniers événements pour que beaucoup à gauche acceptent à nouveau de chanter *La Marseillaise* – et la curiosité pour les autres nations, qui est la marque de l'intelligence. France à la fois nostalgique, arrogante et frileuse qui donne des leçons au monde entier sans voir la verrue qui déjà la défigure. Or une nation qui ne s'aime pas ne peut intégrer des populations étrangères, se projeter dans l'avenir, voire se dépasser dans un projet supranational : elle est vouée au ricanement et à l'autodérision [108]. »

Mais, quand il n'y a plus ni conscription ni (fort heureusement) menaces permanentes émanant d'un ennemi aux frontières, l'apprentissage de la nation passe obligatoirement par l'école. On sourira et on me dira que l'école de Jules Ferry et des hussards noirs de la République procède d'un passé révolu, que l'horizon bleu en direction duquel rugit le Lion de Belfort n'ouvre que sur des amis et des alliés, et que nul complot monarchiste ne menace la République. Faute d'ennemis, une nation se cherche. Le phéno-

---

108. « Pédagogie de la peur », *Le Monde*, 8 mai 2002.

mène ne date pas d'aujourd'hui. Il n'empêche que, dans un climat délétère fait de menaces islamistes, d'un profond sentiment d'insécurité, de la tentation du communautarisme, l'école républicaine demeure un socle incontournable. L'apprentissage de la nation s'y développe autour de quatre piliers : une géographie, une histoire, une langue, le civisme et la connaissance des institutions.

La géographie

La nation s'apprend par la connaissance de sa géographie humaine et de ses contours. Pourquoi ne pas redonner aux élèves de France une notion forte de la géographie du pays dans lequel ils vivent ? Et qu'on ne me parle pas de sclérose ou d'enfermement à l'heure de l'ouverture tous azimuts aux échanges, de la fin supposée (à tort) des frontières et de la mondialisation ; la véritable sclérose réside dans le confinement au quartier, à la cité, à la ZUP et non dans la connaissance des massifs, plaines et littoraux qui composent le territoire national ! Quant à Internet, espace virtuel, il ne reste qu'un outil de communication et – très exceptionnellement – d'instruction, un moyen, et en aucun cas une fin, notamment pas en matière d'identité.

L'Histoire

Renforcer l'apprentissage de l'Histoire s'impose aussi, dans les petites classes en particulier, l'Histoire vraie *et* celle des mythes fondateurs. Pourquoi la légende de Roland de Roncevaux serait-elle moins importante en 2002 qu'en 1902 ? Ne suscite-t-elle pas un sentiment positif de solidarité collective ? Plus tard, l'« ado » ou l'adulte aura toujours le loisir d'apprendre, à la lecture des historiens, qu'en fait de « hordes de Sarrasins » le neveu de

Charlemagne (mais a-t-il seulement existé ?) ne subit vraisemblablement que l'embuscade d'une bande de brigands
vascons. Dans le même esprit, pourquoi abandonner à
une extrême droite xénophobe la propriété des « voix » de
Jeanne d'Arc ? Rêvées sans doute plus qu'entendues, ces
voix ont néanmoins contribué, même très indirectement, à
l'unification du royaume, et par conséquent à l'extinction
progressive d'un conflit séculaire et extrêmement meurtrier.
Qu'importe encore qu'à Valmy, en guise de grande bataille
victorieuse, on n'ait tiré que quelques boulets qui s'enfon-
cèrent dans une boue épaisse devant des Prussiens frappés
de dysenterie ? Car on y cria pour la première fois « Vive la
nation ! » (plutôt que « Vive le roi ! », « Vive le pays
d'Auge ! » ou « Avec Dieu ! »), et c'est de loin ce qui
demeure fondamental et ce qui doit être transmis.

Pas plus que ses prédécesseurs ou ses contemporains sur
les bancs d'école que sont les petits Krysztof, Jacob, Giu-
seppe, Pham ou Mamadou, le jeune Ibrahim n'a pour
ancêtres les Gaulois [109]. La belle affaire ! Comme le disait
Ernest Renan, « une nation est une âme, un principe
spirituel ». La magie de la France républicaine a consisté,
des décennies durant, à convaincre des millions d'enfants
d'être fiers d'ancêtres dont ils n'étaient pas, pour la plupart, les descendants… Pourquoi ce prodige d'universa-
lisme ne se renouvellerait-il plus avec les nouvelles généra-
tions de fils et filles d'immigrés ? La nation France,
encadrée de l'esprit et des lois de la République, a toujours
privilégié le droit du sol sur celui du sang sans s'arc-bouter

109. Si tant est d'ailleurs que Jean-Paul, Christiane, Louis ou Benoît
les aient pour ancêtres ! Combien de jeunes Français ont ou ont eu
quatre grands-parents nés en France ?…

sur des registres dynastiques ou généalogiques. Être français, c'est adhérer à un destin, à des valeurs, à un ciment culturel et à une communauté de destin. Le temps d'un cours de CE2, de 6ᵉ ou de 4ᵉ, la défaite de Vercingétorix contre César ou la victoire de Napoléon à Austerlitz, la découverte de la vaccination par Pasteur ou le sort des Poilus en 1914-1918 procurent au fils d'immigré ne serait-ce qu'un peu d'émotion, et s'éloigne alors le spectre d'une récupération sectaire et anti-intégratrice précoce. L'écolier, devenu citoyen adulte, pourra à sa guise, là encore, considérer les apports inestimables de Rome en Gaule conquise, regretter le coût humain des guerres napoléoniennes, ou approfondir ses connaissances générales sur les autres aspects de la Première Guerre mondiale. Peut-être même cherchera-t-il ensuite à exercer son sens critique vis-à-vis de l'enseignement historique reçu. Peu importe : l'essentiel sera acquis, pour lui et pour la nation ; il n'éprouvera pas – c'est du moins ma certitude et mon espoir *in fine* – la sensation de vide propre à maints déracinés auxquels aucune racine de substitution n'est offerte.

La langue

Que les « modernistes » et les thuriféraires de la mondialisation libérale ou culturelle tous azimuts se rassurent : une bonne pratique de la langue française n'interdit pas la connaissance et l'usage de l'anglais. Le discours utilitariste de l'efficacité m'a toujours irrité qui revient en définitive au raisonnement suivant : puisque les claviers ont remplacé les stylos à plume, puisque l'anglais – ou plus précisément un pauvre bréviaire d'anglais basique – prédomine dans le monde, et puisqu'on trouve « tout » sur Internet, pourquoi continuer à enseigner l'écriture, la grammaire, la

diction et la manière de consulter un dictionnaire ? Cette
logique produit un résultat bien connu : on fait des élèves
des crétins, même pas nécessairement géniaux en anglais
ou en finances ! Depuis quand l'adaptation à certaines
formes de communication exige-t-elle le sacrifice de son
propre mode de langage – et donc, dans une certaine
mesure – de pensée ? Bien maîtriser la langue du pays dans
lequel on vit n'interdira jamais d'en pratiquer d'autres, de
voyager, voire de s'expatrier. L'inverse, dommageable, con-
forte les attitudes de retranchement ou provoque un certain ostracisme en provenance des collègues et concitoyens. C'est vrai sur le marché du travail et dans la société
de manière générale, et d'autant plus douloureux
lorsqu'on est perçu, représenté a priori, par le truchement
d'un patronyme ou d'une couleur de peau, comme plus ou
moins allogène. Or l'intégration sociale et économique
passe par la possibilité d'élire librement son milieu, sa région,
ses mœurs, possibilité sinon offerte, du moins renforcée
par une bonne pratique de la langue et, au-delà, par la
maîtrise de connaissances culturelles générales et d'outils
conceptuels transmis par l'école et le lycée.

L'instruction civique

Pourquoi ne pas ériger cette matière sur le même pié-
destal que les autres ? Non pas quantitativement – il n'est
pas question de sacrifier d'autres enseignements – mais
qualitativement, en instaurant une note d'examen pesant
d'un poids identique à celui des autres matières ? Donc,
un enseignement obligatoire et sanctionné pour le lycéen,
mais aussi des explorations concrètes du fonctionnement
des institutions républicaines : visites de mairies, de l'Assemblée nationale, du Sénat, participation au dépouillement d'un

scrutin, organisation de suffrages à l'échelle du lycée, etc. Des déplacements plus fréquents d'élus expliquant leurs fonctions, préoccupations et prérogatives municipales, départementales ou nationales susciteraient peut-être même des vocations à une époque où chacun s'alarme du peu d'intérêt des jeunes pour les affaires de la Cité. J'avoue enfin avoir la faiblesse de croire que rappeler systématiquement, en début d'année, les définitions de liberté, d'égalité et de fraternité ne représenterait pas un luxe par les temps qui courent…

3. *La laïcité combattante*

Pour l'enseignement des religions au collège

À l'école toujours, mais dans l'esprit de renforcer ce prodigieux outil forgeant liberté et paix civile qu'est la laïcité, je propose la création d'un enseignement laïc des grandes religions et philosophies spirituelles, à l'exemple de ce qui se pratique en Angleterre. Car les quelques heures annuelles consacrées à la présentation de l'origine et de l'évolution géographique et historique des grandes religions ne suffisent pas : il faut entrer dans le vif du sujet, aborder les principes théologiques essentiels, les piliers du dogme, les perceptions identitaires croisées [110]. Il va sans dire que le projet nécessite une formation sérieuse dispensée par l'Éducation nationale aux professeurs qui hériteraient de cette charge d'enseignement. Comment mieux couper l'herbe sous les pieds de ceux qui cherchent à l'instrumen-

---

110. Voir le rapport à Jack Lang, ancien ministre de l'Éducation nationale, de Régis Debray, *L'Enseignement du fait religieux dans l'école laïque*, Odile Jacob, 2002.

taliser que d'enseigner la religion, de manière bien entendu laïque, évidemment désacralisée, et pour ainsi dire dédramatisée ? Liberté absolue à chacun d'aller ensuite, chez lui, approfondir ses connaissances dans des livres ou, éventuellement, dans les Écritures saintes de son choix. Les connaissances spirituelles et religieuses n'intègrent-elles pas la culture générale ? Comme pour l'instruction civique, cet enseignement s'accompagnerait d'au moins une visite obligatoire pour les élèves dans un lieu de culte dédié à chacun des trois monothéismes afin de pallier leur méconnaissance profonde de ces espaces souvent désertés, et d'évacuer les préjugés liés au mystère qu'entoure une église, une mosquée ou une synagogue. Car, hors des visites scolaires organisées, le jeune musulman ne sera vraisemblablement pas encouragé à mettre les pieds dans une église, et moins encore dans une synagogue. L'hypothèse vaut du reste pour les autres cas de figure. Dans tous les cas, il me semble que faire l'impasse sur les religions crée là encore un vide que menacent de combler de bien mauvais oracles.

Enfin, si l'école laïque paraît trop… laïque à certains parents, le recours à l'école confessionnelle demeure toujours possible (bien que plus onéreux). À cet égard, la progression numérique des écoles cultuelles ne m'inquiète guère. L'essentiel reste que l'enseignement général y soit en stricte conformité, tant quantitativement que qualitativement, avec les programmes établis par l'Éducation nationale, et que l'instruction civique y figure au même titre que dans le secteur laïc. On devrait en outre conditionner très scrupuleusement l'octroi des subventions publiques à ces établissements au respect de ces deux exigences.

À titre personnel, au cours des nombreuses interventions dans les lycées – dont certains situés dans des « zones difficiles » – qui m'ont été demandées par des professeurs ou des proviseurs, j'ai choisi depuis plus d'une année déjà de m'adresser aux élèves de manière « adulte », crue et sans circonlocutions. Les premières minutes consacrées aux fondements philosophiques et au fonctionnement de la République font souvent sourire, voire ricaner dans les travées. Rien de moins surprenant dans une société où – avant le 21 avril 2002 du moins – on avait relégué le thème aux oubliettes en invoquant le refus du passéisme, ou simplement par indifférence chronique. Mais, lorsque j'aborde les bienfaits de la laïcité et les risques de décomposition clanique ou ethno-religieuse qui surgissent parallèlement à son affaiblissement, dressant le portrait hideux de la guerre civile qui s'ensuit souvent, avec son cortège de cruautés, les sourires et les rumeurs laissent place à un silence dense. Au terme de ces interventions, des dizaines d'élèves viennent alors, invariablement, me soumettre des questions, échanger des craintes, des espoirs... Indifférence et bâillements ont disparu. Et les « retours » qui me viennent des professeurs autant que des expériences d'autres conférenciers renforcent cette certitude : l'indifférence n'existe pas chez les « ados » dès lors qu'on leur fait prendre conscience des vrais enjeux, dès lors qu'on les responsabilise, sans se grimer en prophètes de malheur mais sans les abreuver de poncifs et de sirupeux lieux communs tiersmondistes. N'est précieux que ce qui est rare, et seul ce qui est menacé présente un réel intérêt : *rares* sont les pays de vraie paix civile dans le monde ; la République française laïque est *menacée* par le fanatisme d'idéologies religieuses importées...

Piéger l'ennemi sur son propre terrain : l'arme des assises interconfessionnelles

L'islamisme étant une dérive de type identitaire, religieux et mystique, il me semble qu'on doit le combattre aussi sur son terrain : le religieux. Pourquoi ne pas créer un rendez-vous républicain qui prendrait l'aspect d'assises interconfessionnelles ? Convoquées à échéances régulières – par exemple semestriellement – par le Premier ministre, accueillies par le ministre de l'Intérieur (celui-ci faisant office de ministre des Cultes en France), ces deux ou trois journées de tables rondes et de rencontres publiques entre les représentants reconnus des cultes monothéistes – catholique, musulman, protestant et juif – contribueraient nécessairement à prendre à revers maintes tentatives de cloisonnement et de récupération en « zones difficiles [111] ». Fi de l'angélisme ou de la naïveté : l'intérêt résiderait moins dans la recherche vaine d'un quelconque œcuménisme que dans l'impact produit par la médiatisation de cet événement spirituel ; pour un jeune « beur », voir régulièrement, sous les ors et les lambris de la République, des imams et autres muftis invités au même titre, présentés avec les mêmes égards, et écoutés avec la même déférence que les prêtres, pasteurs et autres rabbins, ne pourrait que le conforter dans l'idée d'une égale considération et l'éloigner des sirènes manipulatrices qui jouent sur le misérabilisme et le sentiment de mépris ou d'ignorance prétendument délibérés du fait musulman en France. Mieux encore : les quelques « JT » du soir consacrés pour partie à

111. Je dis « monothéiste », mais le projet pourrait tout à fait inclure des philosophies orientales, certaines, comme le bouddhisme, de plus en plus présentes en France.

ce rendez-vous, en relayant des scènes de poignées de main chaleureuses, d'accolades cordiales voire fraternelles et de discussions à bâtons rompus entre imams et rabbins, contribueraient grandement à humaniser ces derniers auprès de tout un pan de la jeunesse « beur ». Car force est de reconnaître que, depuis l'automne 2000 et le regain de violence au Proche-Orient, le juif cristallise trop souvent chez nombre de jeunes musulmans l'anti-musulman par excellence, non seulement sur le plan social (le « feuj » bourgeois), mais aussi sur le plan identitaire[112].

Il va de soi que les thèmes choisis pour chacune de ces assises éviteraient soigneusement les questions de politique étrangère pour se recentrer autour des problèmes de la Cité : foi et laïcité ; observance des rites et respect de la loi ; éducation ; enseignement ; pauvreté ; violences familiales ; éthique et bioéthique…, les sujets ne manqueraient certes pas ! Ces rencontres « au sommet » ne seraient pas exclusives de rencontres « en bas », sur le terrain, organisées par exemple à l'initiative des municipalités dont on ne rappellera jamais assez qu'elles sont les courroies de transmission de la République entre l'État et le citoyen. Là encore, l'objectif est de montrer l'Autre, de l'humaniser, de l'intégrer à la Cité, de le propulser hors des fantasmes, des préjugés, de la crainte irrationnelle, des clichés, de la diabolisation, de la rumeur, de la haine sans objet véhiculés par les cadres islamistes du cru ou en mission depuis l'étranger. Lorsqu'un visage, une voix, des mains expriment des idées ou enseignent des rites, le pari est déjà gagné, même si l'on

112. Lire sur ce phénomène le livre de Pierre-André Taguieff, *La Nouvelle Judéophobie*, Mille et une Nuits, 2002, et l'enquête menée conjointement par SOS Racisme et l'UEJF, *Les Antifeujs*, Calmann-Lévy, 2001.

n'adhère pas aux croyances qu'ils véhiculent. Car on a écouté et vu cette voix et ces mains à quelques mètres de soi, humaines. Et l'on comprend le grotesque de la rumeur selon laquelle les juifs feraient du pain azyme avec du sang d'enfants musulmans... Une fois encore, le but n'est pas d'organiser des joutes spirituelles, des concours d'éloquence religieuse ou des controverses médiévales, mais de faire prendre conscience de la nécessité de préserver le socle philosophique fragile mais commun qui est le nôtre : rejet catégorique de la violence, tolérance, respect de la laïcité républicaine. Enfin, les rencontres entre représentants laïcs des différentes communautés culturelles, telles celles qui existent déjà, pourraient s'effectuer de manière régulière, et peut-être plus ambitieuse.

Pour un Consistoire musulman

En mai-juin 2002 s'est enfin enclenché, après presque une décennie de contacts et de consultations, notamment à l'initiative des ministères de l'Intérieur successifs, le processus de constitution d'un Conseil représentatif de l'islam de France. Or, en fonction de quels critères juger de sa représentativité ? Sunnites dans leur quasi-intégralité, les fidèles musulmans se répartissent néanmoins en diverses obédiences, sensibilités et nationalités d'origine. Les pouvoirs publics ne pouvaient continuer à ne pas disposer d'interlocuteurs un tant soit peu représentatifs de six à sept millions de personnes, citoyennes avant tout, certes, mais entretenant légitimement de près ou de loin un certain nombre de rites, de traditions et de croyances communes. Il ne s'agit pas de sectoriser ni de communautariser, mais bien d'intégrer et de responsabiliser, de créer un canal de communication démocratique pour les musulmans, instrument de diffusion et – pourquoi le nier ? – de contrôle, pour les pouvoirs publics. En 1808, en créant le Consistoire israélite, Napoléon Ier n'entendait pas diviser l'empire en clans ou en communautés, mais s'informer, encadrer, contrôler. Il ne serait pas honnête de faire mine de croire que le régime en place en France, parce qu'il est authentiquement démocratique, n'a pas vocation à savoir et à se renseigner sur les activités et les discours cultuels proposés dans les réseaux associatifs culturels et religieux ; contrôler *a minima* le culte ne signifie pas « fliquer », mais se défendre et défendre les fidèles contre d'éventuels agissements illicites. À cet égard, l'entrisme et les tentatives d'infiltration de certains groupes clairement identifiés comme islamistes – par exemple les Frères musulmans – doivent être combattus. Régulièrement accusé de défendre et de propager une forme d'islamisme, Fouad Alaoui, le président de la puissante Union des organisations islamiques de France (UOIF), arguait : « Toute lecture de l'islam qui conduit au renfermement sur soi, à une hostilité envers la société et à une attitude de prosélytisme doit être considérée comme une lecture extrémiste. Nous sommes pour une lecture du juste milieu[113]. »

Un problème de taille demeure : la nature, et surtout l'origine du financement des lieux de culte musulmans.

113. « Le futur Conseil est la garantie d'une meilleure intégration de l'islam », *Le Monde*, 4 mai 2002. Cependant, le même M. Alaoui avait précédemment affirmé : « De même qu'on demande à l'islam de changer, la laïcité doit changer, car aujourd'hui la laïcité ne peut se contenter d'une définition selon laquelle elle cantonne le religieux à la sphère privée. » *Libération*, 16 octobre 2001. Des propos pour le moins inquiétants…

Comment pourrait-on envisager qu'on laisse un État tiers – reconnu pour encourager la diffusion de thèses et de matériels de propagande islamistes – exiger en contrepartie de financements divers le choix de « son » imam et de « ses » exemplaires dûment commentés des Textes pour une mosquée en France ? À cet égard, le financement par des capitaux saoudiens du Centre de formation des cadres religieux de Saint-Léger-de-Fougeret (Nièvre) me semble particulièrement préoccupant[114]. La question rejoint celle des réseaux bancaires de financement occultes et des investigations judiciaires à l'encontre de réseaux islamistes agissant sous couvert du culte. La France, l'Allemagne, la Belgique, et surtout le Royaume-Uni, États européens tout spécialement concernés, devraient accroître sensiblement leur coopération dans ce domaine[115].

4. *La République, encore un temps…*

On me reprochera peut-être de vouloir faire du neuf avec du vieux, de tenter de réhabiliter des aspects désuets d'une République (dé)passée. J'assume par avance et avec humilité ce type de reproches, en invitant leurs éventuels auteurs à proposer mieux, mais relativement vite eu égard à l'évolution inquiétante du « front ». Car un élément au moins ne se discute pas : si la lutte contre l'islamisme échoue,

114. Le problème s'est déjà présenté pour plusieurs mosquées, notamment à Lyon et à Paris.
115. Le groupe financier islamique Al-Taqwa, par exemple, lié aux frères Ramadan, fait l'objet d'investigations aux États-Unis et en Europe. « Al-Taqwa, la banque islamique qui refuse de livrer ses secrets », *Le Monde*, 4 mai 2002. Voir, en 1990 déjà, le dossier du *Nouvel Observateur*, « Islam, les financiers de l'intégrisme », 19/25 juillet 1990.

si le fléau progresse de manière réelle, nous aurons tous à déplorer deux conséquences désastreuses à moyen terme.

La première consistera dans le renforcement d'un communautarisme de type ethno-religieux qui ne correspond en rien aux valeurs, traditions et modes de fonctionnement de la République depuis plus d'un siècle, depuis plus de deux si l'on inclut les premiers jalons posés par les hommes de la Révolution française, en particulier par les Conventionnels. Affaiblissement du contrôle de l'État et augmentation consubstantielle des mafias dans des quartiers-ghettos devenus zones de non-droit, paupérisation due au retranchement de secteurs entiers d'activité économique, constitution de milices privées et prolifération des armes, luttes d'influence violentes entre groupes ethno-religieux pour le contrôle d'espaces urbains, création de lobbies politico-financiers claniques, prise en charge du social et de l'enseignement par des confréries religieuses, etc. Cette logique de décomposition sociale, politique et institutionnelle, bien connue dans certains États et à mes yeux cauchemardesque, apparaît crédible à l'horizon de deux ou trois décennies si l'on n'y prend garde. Une telle dérive – accepter non seulement les différences, mais aussi les dissidences – frapperait en premier lieu les musulmans eux-mêmes, et tout particulièrement les femmes. En milieu islamique traditionaliste ou fondamentaliste, le statut de la femme, hélas, s'apparente bien souvent à celui d'une obéissante machine à fabriquer des enfants, sans droits ni considération réels au-delà du seuil de la cuisine. Et qu'on ne vienne pas nous parler de traditions librement admises : entre une société ouverte, laïque et égalitaire quant aux droits d'une part, et un milieu phallocrate, coercitif et aliénant pour la femme d'autre part, les femmes doivent être libres de choisir. Or on ne choisit qu'entre deux modèles au moins, librement, et en connaissance de cause. Le fait que certaines femmes choisissent effectivement en leur âme et conscience la charia ne prédétermine nullement la volonté de toutes les autres. Sur le sol français, chaque citoyenne doit pouvoir trancher selon son libre arbitre. Quant à l'argument ressassé *ad nauseam* selon lequel l'islam procura, à son avènement, une forme de protection à la femme (dot, héritage, statut juridique…) par rapport à la culture bédouine païenne qui prévalait jusqu'alors, il convient fort bien aux débats historiques, moins à nos réalités empiriques du moment [116]. Je l'admets volontiers par ailleurs : le châtelain féodal offrit une certaine protection aux paysans du fief par rapport à la semi-anarchie qui régnait jusqu'au terme des grandes invasions… Les progrès réalisés – généralement conquis de haute lutte – dans le sens de la dignité et de la liberté sont toujours appréciables et il faut en rendre justice à leurs concepteurs. L'Histoire ne s'y arrête cependant pas, et ils ne constituent pas nécessairement les critères à l'aune desquels, des siècles d'évolution divergente plus tard, toute société doit établir son droit, ses mœurs, ses coutumes. Le *hidjab* a pu constituer un progrès dans la société clanique, machiste et violente des temps médiévaux ; il incarne dans la France laïque, égalitaire et républicaine d'aujourd'hui une manière d'alié-

116. Une enquête intéressante réalisée dans les années 1980 auprès de la Grande Mosquée de Paris indiquait que, parmi les Français convertis à l'islam, 30 % seulement étaient de sexe féminin, chiffre qui s'inscrivait dans une logique de constante diminution depuis les années 1950. Était-ce déjà lié à la montée en puissance d'une pratique et d'un discours de plus en plus rétrogrades et oppressants à l'égard des femmes ? Telhine Mohamed, « Les Convertis de la Grande Mosquée de Paris », *Hérodote* nᵒˢ 60-61, 1ᵉʳ/2ᵉ trimestre 1991, p. 122.

nation rétrograde. Un Premier ministre employait ès qualité cette expression dès 1989, et un ministre de l'Éducation nationale, cinq ans plus tard, précisait, lui aussi dans ses fonctions, que le voile représentait le « signe d'une soumission de la femme[117] ».

En outre, en matière de rites et de traditions, il faut avoir le courage d'affirmer que tout ne se vaut pas : fi d'une exaltation différentialiste, produit tiers-mondiste de substitution au marxisme éteint, et d'un relativisme culturel infiniment proche d'une certaine forme de racisme, qui reviennent à conclure que ce dont nous bénéficions n'est pas (encore) bon pour les autres[118]... En 1987 déjà, Alain Finkielkraut opposait avec clairvoyance l'hérité et le choisi : « L'alternative, alors, est simple : ou les hommes ont des droits, ou ils ont une livrée ; ou bien ils peuvent légitimement se libérer d'une oppression même et surtout si leurs ancêtres en subissaient déjà le joug, ou bien c'est leur culture qui a le dernier mot [...]. De peur de faire violence aux immigrés, on les confond avec la livrée que leur a taillée l'histoire. Pour leur permettre de vivre comme cela leur convient, on se refuse à les protéger contre les méfaits ou les abus éventuels de la tradition dont ils relèvent. Afin d'atténuer la brutalité du déracinement, on les remet, pieds et poings liés, à la

117. Cité *in* François Burgat, *L'Islamisme en face*, La Découverte, 2002, p. 216. Cet ouvrage (comme d'autres de ses écrits) laisse pourtant extrêmement perplexe tant son auteur, à force d'enjoindre à *comprendre* le phénomène islamiste, donne en définitive à penser qu'il entend *justifier* (subrepticement ?) l'islamisme radical. Par ailleurs, voir le dossier spécial (et prémonitoire) consacré à l'islamisme, et notamment aux questions impliquant laïcité et charia, « Maîtriser ou accepter les islamistes », *Hérodote,* n° 77, 2ᵉ trimestre 1995.

118. Du « néo-racisme à visage différentialiste », *Tous Américains ?, op. cit.*, p. 33.

discrétion de leur communauté, et l'on en arrive ainsi à limiter aux hommes d'Occident la sphère d'application des droits de l'homme, tout en croyant élargir ces droits, jusqu'à y insérer la faculté laissée à chacun de vivre dans sa culture. Né du combat pour l'émancipation des peuples, le relativisme débouche sur l'éloge de la servitude[119]. »

Répétons-le : tout ne se vaut pas. Ou alors l'excision – pratique barbare fréquente dans nombre de sociétés musulmanes du continent africain (mais dont il convient de rappeler qu'elle existait antérieurement à l'avènement de l'islam) – devrait être admise, tout comme devraient être tolérés les crimes d'honneur commis à l'encontre de la fille ou de la sœur accusée d'avoir convolé hors des sacro-saintes limites du groupe religieux ou du mariage, ou encore permise la polygamie soumettant les épouses à une forme d'esclavage et les enfants à un véritable traumatisme, ou autorisés les mariages forcés synonymes de viols et de séquestrations[120]. Et ce n'est pas un hasard si, parmi les jeunes étudiantes musulmanes qui poursuivent des études universitaires, fort nombreuses sont celles qui élisent la filière… juridique. Connaître le droit pour défendre les siens[121] ! À

119. Alain Finkielkraut, *La Défaite de la pensée*, Gallimard, 1987, p. 142, 145.

120. Sur l'excision, la polygamie, et de manière plus générale les problèmes moraux et juridiques liés au « multiculturalisme », on lira l'ouvrage courageux et visionnaire de Christian Jelen, aujourd'hui décédé, *Les Casseurs de la République*, Plon, 1997. Le paroxysme de la pression endogame et du rejet catégorique de toute liberté de choix affectif fut atteint en 1993 : une jeune fille turque de seize ans avait été assassinée par ses frères pour être tombée amoureuse d'un non-musulman…

121. C'est au cours de mes six années d'enseignement à l'université Paris VIII-Saint-Denis que j'ai pris conscience de ce phénomène extrêmement positif, manifestement perceptible dans toutes les académies de France.

commencer par celui de disposer librement de ses choix universitaires et professionnels, de ses engagements affectifs, amoureux et maritaux, de ses affiliations syndicales, politiques, idéologiques et, *last but not least*, de son corps. La réelle accession à l'égalité des sexes, condition essentielle à l'édification d'une société authentiquement démocratique, passe impérativement par la pleine et libre possession de son corps (choix vestimentaire, contraception, sexualité…) par la citoyenne. Et tant que s'imposera l'adage islamique selon lequel « l'honneur de la femme est une affaire d'homme », chaque femme ne sera pas réellement libérée de cette sempiternelle contrainte moralisatrice, instrument de la domination masculine par excellence depuis au moins la création du mythe originel d'Ève la pécheresse [122].

122. Quelques commandements coraniques liés au statut de la femme :

« Les femmes ont des droits, équivalents à leurs obligations, et conformément à l'usage. Les hommes ont cependant une prééminence sur elles. Dieu est puissant et juste. » [II, 228]

« Épousez comme il vous plaira, deux, trois ou quatre femmes. Mais si vous craignez de n'être pas équitables, prenez une seule femme, ou vos captives de guerre. Cela vaut mieux pour vous que de ne pas pouvoir subvenir aux besoins d'une famille nombreuse. » [IV, 3, 4]

« Quant aux enfants, Dieu vous ordonne d'attribuer au garçon une part égale à celle de deux filles. » [IV, 11]

« Les hommes ont autorité sur les femmes, en vertu de la préférence que Dieu leur a accordé sur elles, et à cause des dépenses qu'ils font pour assurer leur entretien.

« Les femmes vertueuses sont pieuses : elles préservent dans le secret ce que Dieu préserve. Admonestez celles dont vous craignez l'infidélité ; reléguez-les dans les chambres à part et frappez-les. Mais ne leur cherchez plus querelle, si elles vous obéissent. » [IV, 34]

« La vérité sur l'islam », *L'Histoire*, n° 260, p. 44. [Les citations sont tirées du *Coran*, traduction de D. Masson, Gallimard, 1967.]

La seconde conséquence d'un échec de la lutte contre l'islamisme toucherait tous les Français, quelle que soit leur origine géographique, leur appartenance religieuse et leur catégorie sociale respectives : elle revêtirait l'aspect d'un régime autoritaire. En effet, la montée en puissance d'un islamisme actif et violent provoquerait inexorablement une réaction forte, non plus seulement dans le discours des intellectuels et des politiques ou à travers des textes de loi préventifs et répressifs, mais dans les urnes et dans la rue. C'est au terme d'un processus de réaction à la fois légal et violent que pourrait advenir un régime de cette nature né à l'extrême droite, prenant prétexte et alibi du phénomène pour asséner un coup mortel à la République. Même si, lors des échéances présidentielles d'avril 2002, l'islamisme proprement dit n'eut – entre autres facteurs sociaux, psychologiques, politiques et idéologiques – qu'un effet très indirect sur la présence du candidat Le Pen au second tour, on ne peut s'empêcher de craindre une instrumentalisation croissante du fléau par sa mouvance.

Rien n'est éternel. Ni les êtres et leurs constructions matérielles, ni les dogmes, ni les systèmes politiques et institutionnels. La République française, à l'instar de tout autre système politique, n'a cessé d'évoluer et finira par péricliter pour disparaître tout à fait, le plus tard possible je l'espère. Il n'y a pas lieu de s'apitoyer ; il en va ainsi de chaque régime et, parfois, un meilleur régime lui succède. En attendant, sans états d'âme, considérons la République pour ce qu'elle est : un moyen et non une fin ; le moyen pour des hommes et des femmes d'origine et de foi différentes de vivre en principe libres et égaux en droits, sans domination d'un groupe sur un autre ni discrimination raciale, philosophique, sociale ou religieuse. C'est à ce titre, et en regard de systèmes autrement calamiteux sous d'autres cieux, qu'il faut la défendre avec force et vigueur. Heureux de ce régime déjà éprouvé sans l'idolâtrer, je préconise donc qu'il serve et continue de servir pour nos enfants à la manière d'un exceptionnel cadre pacificateur, d'un rempart éducatif, cultuel, politique et juridique susceptible d'absorber le choc de cette nouvelle menace totalitaire représentée par l'islamisme radical, d'une épée aussi pour en vaincre les manifestations violentes. Le combat commence « en affirmant haut et fort que nous n'avons pas à avoir honte de notre civilisation et de notre culture. La liberté individuelle, la démocratie politique, le règne de la loi, l'égalité des citoyens, la protection de l'individu, le droit à l'éducation, à la santé, à la sécurité, la séparation des pouvoirs politiques et religieux : ces idées libératrices nous sont chères [123]. »

Elles méritent par conséquent d'être âprement défendues.

123. Christian Jelen, *op. cit.*, p. 172-173.

Pour conclure provisoirement

« Deux périls menacent le monde : l'ordre et le désordre. » C'est si vrai. Le 11 septembre 2001, une poignée de barbares est venue rappeler (et rappeler seulement, car la démonstration n'augure rien de neuf), un peu à la manière de leurs prédécesseurs *hashashin*, que la puissance militaire des empires n'est pas tout, qu'elle ne peut tenir lieu de protection totale pour leurs sujets ou citoyens, que le désordre – dans son acception meurtrière et massive – peut surgir en tout temps, déclenché à la fois de très loin et de l'intérieur même de la place, et s'imposer par des armements stupéfiants. Mais cette manière de semer le désordre – j'entends le désordre terroriste – diffère de l'« ancienne » façon, et même s'y oppose. Dans les années 1970-1980, les principales centrales terroristes, notamment gauchistes, entretenaient des objectifs politiques précis. Généralement, elles attendaient de leurs opérations des gains tactiques ou stratégiques (prises en considération grâce aux médias), organisationnels (libération de terroristes emprisonnés) et financiers (rançons, hold up). À l'horizon de cette lutte se dessinait un objectif politique déterminé : une révolution, la modification radicale de l'équilibre du pouvoir et de la vie en collectivité, la réorganisation complète de l'économie... Jamais l'action violente n'a eu ni n'aura grâce à mes yeux face à des systèmes politiques qui, si imparfaits et insatisfaisants soient-ils, sont de nature démocratique. En outre, je n'ai jamais été intellectuellement séduit par le marxisme ni politiquement convaincu par les nombreux courants qui s'en réclament. Néanmoins, à la fin des fins – et je sais qu'on me reprochera ici ou là cette imperceptible et pourtant fondamentale distinction –, les terroristes « à l'ancienne » – tout comme certains groupes indépendantistes encore actifs de nos jours – s'inscrivaient et s'inscrivent tous dans le *politique*, c'est-à-dire dans la vie [124]. Or comme le note Stepan, l'un des personnages des *Justes*, « pour se suicider, il faut beaucoup s'aimer. Un vrai révolutionnaire ne peut pas s'aimer [125] ».

Dans le champ du politique, tout se discute. La légende raconte qu'après la bataille de Kadesh, Ramsès II l'Égyptien et Mouwatalli le Hittite avaient trouvé un terrain d'entente, et même constitué une alliance [126]. Le Franc chrétien Charlemagne et le Turc musulman Haroun al-Rachid, Raymond de Tyr et Salah al-Din (Saladin), Louis IX et le Khan mongol, François Iᵉʳ et le sultan ottoman de la Sublime Porte, Jules Ferry et Otto von Bismarck, Nixon et Mao, Sadate et Begin – que les historiens me pardonnent ce

124. Avec toutefois des attentats perpétrés contre des civils. Par ailleurs, d'autres groupes comme les Tigres tamouls (Sri Lanka) aujourd'hui ou l'Armée rouge japonaise hier ont mené des actes de terreur de type suicidaire. Lire sur cette dernière organisation Michaël Prazan, *Les Fanatiques, histoire de l'Armée rouge japonaise*, Seuil, 2002.

125. Albert Camus, *Les Justes*, Gallimard, 1950, p. 32.

126. *L'Art de la guerre par l'exemple, op. cit.*, p. 173-176.

survol pour le moins hâtif –, tous ces personnages ont au moins pris langue avec un vis-à-vis a priori antagoniste sur les plans philosophique et religieux, certains de ces « couples » signant des accords de paix impliquant d'improbables partages territoriaux de souveraineté. Tout se négocie, se critique, se pense dans la sphère du *réel*, même lorsque des revendications paraissent – ou sont objectivement – jusqu'au-boutistes. Car on revient potentiellement d'un « tout » en contrepartie d'un « mieux encore ».

Mais, dès lors que l'Au-delà est mis à contribution, que la volonté du Ciel n'est plus une *variable* mais une *constante* dans les prises de décision politiques ; que l'on appelle les dieux à témoin ; que les oracles s'arc-boutent sur des Écritures immuables, irrévocables, non lisibles autrement qu'à la *lettre* par eux interprétée ; puisque « les dieux ont toujours soif, n'en ont jamais assez » ; en bref, dès lors que le pragmatisme cède à la frénésie d'En-Haut, la cause est entendue : ce sera la guerre, presque toujours pourvoyeuse de malheurs – y compris pour le vainqueur – et de privations de liberté[127]. Non point une guerre façon Sun Tse ou Clausewitz déclenchée pour obtenir un avantage politique, un plus vaste territoire, un meilleur rapport de forces, des ressources supplémentaires ou une reconnaissance de dettes, mais une guerre à outrance, à mort, dépourvue de prolongement ici-bas. Or, pour dominer l'Autre, il faut que cet Autre vive. Affaibli, humilié peut-être, asservi parfois, mais vivant. Les grands conquérants et autres dictateurs le savent bien ; il n'est d'ivresse à dominer des ruines et des cadavres. Il n'y a guère plus de jouissance

127. Extrait de la chanson de Georges Brassens, *Mourir pour des idées*.

à provoquer sa propre perte en précipitant celle des adversaires. Le jeu du pouvoir, de la suprématie politique, économique ou militaire, de la géostratégie enfin, s'inscrit fondamentalement dans une logique de vie. Voilà toute la différence (mince pour les victimes, grande pour les nations) entre le criminel pragmatique Saddam Hussein et le criminel apocalyptique Ben Laden, entre les terroristes réalistes des Brigades rouges et les terroristes hallucinés d'Al-Qaïda. Bernard-Henri Lévy a raison d'affirmer : « Un fanatique, un kamikaze, a le culte de la mort pour la mort, de la douleur pour la douleur, et c'est pleins d'espoir, au contraire [de l'antifasciste], la joie au cœur, dans un état de jubilation qui n'a d'égale que la désolation de leurs victimes, qu'ils marchent vers le martyre […]. N'ayez pas peur du kamikaze. Ce qui l'intéresse dans le risque de mort, ce n'est pas le risque, c'est la mort. Ce qu'il aime dans la guerre, ce n'est pas "vaincre ou mourir" mais mourir et ne surtout pas vaincre. Sa grande affaire, ce n'est pas, comme dit Clausewitz, proportionner des efforts à la force de résistance de l'ennemi, le renverser, le réduire – mais mourir[128]. »

Or, davantage encore que le désordre « classique » de la contestation antidémocratique, voire du « traditionnel » terrorisme, la terreur apocalyptique risque de provoquer un recours éperdu à l'ordre. Plusieurs régimes autoritaires autoproclamés alliés dans le combat antiterroriste en profitent d'ores et déjà pour accentuer et légitimer leur oppression. Insistons : dans les États réellement démocratiques, l'ordre que je redoute serait noir, qui correspondrait à la

---

128. *Réflexions sur la Guerre, le Mal et la fin de l'Histoire*, Grasset, 2001, p. 215 et 217.

réduction des libertés individuelles au nom de cette lutte antiterroriste, à la suspicion généralisée charriant son lot d'injustices à l'encontre des personnes susceptibles d'être soupçonnées. Ce risque existe aux États-Unis – où le pouvoir fut rapidement tenté par des mesures tant préventives que répressives échappant au droit, comme à Guantanamo – mais également en Europe. En France, l'ordre calamiteux consisterait à substituer un affreux « Vigiarabe » au plan Vigipirate. Tous les Ben Laden auraient alors gagné la première manche dans leur tentative d'instaurer une guerre des civilisations. Mais le pire ne serait-il pas d'abandonner, en amont, les forces démocratiques qui luttent au sein des sociétés musulmanes en proie à la menace, et, en aval, les musulmans de France qui rejettent l'islamisme ? Lisons de nouveau Jean-Marie Colombani : « Tout intellectuel craint d'abord de participer à une propagande. Pourtant, il s'agit de bien autre chose ici que de la "défense de l'Occident". Il s'agit de vaincre, avant qu'il n'ait commis des dégâts irréparables, un fascisme dont la cible principale, même si elle n'est pas explicitement affirmée comme telle, est les musulmans eux-mêmes [129]. »

En d'autres temps, nos démocraties avaient sacrifié moult démocrates sur l'autel de leur quiétude, en vain. Sachons nous en souvenir.

« Quelle connerie, la guerre ! » demeurera à jamais le cri de ralliement de tous les citoyens dotés d'un peu de cœur et de raison, de tous ceux qui admettent la vie comme valeur suprême, qui l'aiment passionnément. Vérité indépassable, et que j'ai toujours faite mienne.

---

129. *Tous Américains ?, op. cit.,* p. 140.

Jusqu'au seuil du tolérable, toutefois. Jusqu'au point de rupture où persister dans le pacifisme signifie le suicide politique ou culturel. Jusqu'à l'ultime étape au-delà de laquelle un « Munich » marque le renoncement de soi, la trahison de ses propres valeurs, l'abandon et la lâcheté. Jusqu'à ce coup porté par un totalitarisme – qu'on a pu, comme jadis, croire inoffensif sous nos latitudes, voire manipulable – au cœur de la civilisation des anonymes désarmés, gens de la rue et des bureaux. Sans crier gare, des déments qui recherchent le nivellement par la mort, inconciliables parce que apocalyptiques, nous ont contraints, démocrates de toute appartenance religieuse, philosophique ou nationale, à la guerre. Face à leur fanatisme morbide et archaïque, la guerre, imposée, devient juste, car c'est justice de ne pas vivre dans la servitude lancinante de la terreur aveugle. Une guerre qui oppose, et contrairement à leurs souhaits, des systèmes de valeurs fondamentales plutôt que des civilisations, une guerre qui oppose des modèles éducatifs, sociaux, politiques, juridiques, institutionnels et philosophiques profondément antinomiques.

Une guerre pour la liberté.

Bibliographie

ADLER Alexandre, *J'ai vu finir le monde ancien*, Grasset, 2002.

ARKOUN Mohamed, *L'Islam, morale et politique*, Maisonneuve-Larose, 1986.

ARMESTO, Marie-Rose, *Son mari a tué Massoud*, Balland, 2002.

BALTA Paul, *L'Islam dans le monde*, La Découverte, 1986.

BARTOL Vladimir, *Alamut*, Phébus, 1998.

BASBOUS Antoine, *L'Islamisme, une révolution avortée ?*, Hachette, 2000.

BAT Yeor, *Juifs et Chrétiens sous l'Islam. Les dhimmis face au défi intégriste*, Berg international, 1994.

BAUER Alain et RAUFER Xavier, *La guerre ne fait que commencer*, J.-C. Lattès, 2002.

BEGAG Azouz, *Les Dérouilleurs*, Mille et une Nuits, 2002.

BLANC Florent, *Ben Laden et l'Amérique*, Bayard, 2001.

BRISARD Jean-Charles et DASQUIÉ Guillaume, *Ben Laden, la vérité interdite*, Denoël, 2001.

BURGAT François, *L'Islamisme en face*, La Découverte, 2002.

CAMUS Albert, *Les Justes*, Gallimard, 1950.

CARRÉ Olivier, *Mystique et politique, lecture révolutionnaire du Coran par Sayyed Qutb, frère musulman radical*, Cerf, 1984.

CHALIAND Gérard, *Les Stratégies du terrorisme*, Desclée de Brouwer, 1999.

CHARFI Mohammed, *Islam et liberté, le malentendu historique*, Albin Michel, 1999.

CHAUPRADE Aymeric, *Géopolitique. Constantes et changements dans l'histoire*, Ellipses, 2001.

CHEVALÉRIAS Alain, *Le Montage Ben Laden et ses conséquences*, Éditions du Rocher, 2001.

CLAUSEWITZ Carl von, *De la guerre*, Perrin, 1999.

COLOMBANI Jean-Marie, *Tous Américains ? Le monde après le 11 septembre*, Fayard, 2002.

COOLEY John K., *Unholly Wars : Afghanistan, America and International Terrorism*, PlutoPress (Londres), 2000.

CORAN (Le), traduction D. Masson, Gallimard, 1967.

COUTAU-BÉGARIE Hervé, *Traité de stratégie*, Économica, 2000.

DA LAGE Olivier et RIONDET Jean-Paul, *Maudite soit ta source*, Michalon, 2002.

DASQUIÉ Guillaume et GUISNEL Jean, *L'Effroyable Mensonge, thèse et foutaises sur les attentats du 11 septembre*, La Découverte, 2002.

DEBRAY Régis, *L'Enseignement du fait religieux dans l'école laïque*, Odile Jacob, 2002.

DELCAMBRE Anne-Marie, *L'Islam,* La Découverte, 2001.

DORRONSORO Gilles, *La Révolution afghane : des communistes aux tâlebân*, Karthala, 2000.

ENCEL Frédéric, *Le Moyen-Orient entre paix et guerre*, Flammarion, 1999.

– *L'Art de la guerre par l'exemple*, Flammarion, 2000.

ÉTIENNE Bruno, *Les Amants de l'Apocalypse*, L'Aube, 2002.

– *L'Islamisme radical*, Hachette, 1997.

FAYE Jean-Pierre, *Langages totalitaires*, Hermann, 1980.

FINKIELKRAUT Alain, *L'Imparfait du présent*, Gallimard, 2002.

– *La Défaite de la pensée*, Gallimard, 1987.

GENTILE Pierre et CHUVIN Pierre, *Asie centrale : l'indépendance, le pétrole et l'islam*, Le Monde poche, 1998.

GLUCKSMANN André, *Dostoïevski à Manhattan*, Robert Laffont, 2002.

– *Le Discours de la guerre*, L'Herne, 1974.

GUILHOU Xavier et LAGADEC Patrick, *La Fin du risque zéro*, Tendances, 2002.

GUISNEL Jean, *La Citadelle endormie, faillite de l'espionnage américain*, Fayard, 2002.

HEISBOURG François (dir.), *Hyperterrorisme : la nouvelle guerre*, Odile Jacob, 2001.

HOPKIRK Peter, *The Great Game. The Struggle for Empire in Central Asia*, Oxford University Press, 1994.

HOUBALLAH Adnan, *Le Virus de la violence. La guerre civile est en chacun de nous*, Albin Michel, 1996.

HUNTINGTON Samuel, *Le Choc des civilisations*, Odile Jacob, 1997.

IBN WARRAQ, *Pourquoi je ne suis pas musulman*, L'Âge d'Homme, 1999.

JAHANCHAHI Amir, *Vaincre le IIIᵉ totalitarisme*, Ramsay, 2001.

JELEN Christian, *Les Casseurs de la République*, Plon, 1997.

KASPI André, *Les Américains d'aujourd'hui. Mal aimés, mal connus, mal compris*, Plon, 1999.

KELLNER Thierry et REZA-DJALILI Mohammad, *Géopolitique de la nouvelle Asie centrale*, PUF, 2001.

KEPEL Gilles, *Jihad. Expansion et déclin de l'islamisme*, Gallimard, 2000.

– *Chronique d'une guerre d'orient*, Gallimard, 2002.

KESSEL Joseph, *Les Cavaliers*, Gallimard, 1997.

KONOPNICKI Guy, *La Faute des juifs*, Balland, 2002.

LABÉVIÈRE Richard, *Les Dollars de la terreur*, Grasset, 1999.

LACOSTE Yves, *Dictionnaire de géopolitique*, Flammarion, 1994.

– *La géographie, ça sert d'abord à faire la guerre*, Maspero, 1976.

– *Vive la nation !*, Fayard, 1998.

LÉVY Bernard-Henri, *Réflexions sur la guerre, le Mal et la fin de l'Histoire*, Grasset, 2001.

LEWIS Bernard, *Retour de l'Islam*, Gallimard, 1993.

– *Les Assassins,* Complexe, 1984.

MAALOUF Amine, *Les Croisades vues par les Arabes*, J.-C. Lattès, 1983.

MEDDEB Abdelwahab, *La Maladie de l'islam*, Seuil, 2002.

MIMOUNI Rachid, *De la barbarie en général et de l'intégrisme en particulier*, Le Pré-aux-Clercs, 1992.

MONTBRIAL Thierry de et KLEIN Jean, *Dictionnaire de stratégie*, PUF, 2000.

MOUTAPPA Jean, *Religions en dialogue*, Albin Michel, 2002.

PRAZAN Michaël, *Les Fanatiques, histoire de l'armée rouge japonaise*, Le Seuil, 2002.

RASHID Ahmed, *Asie centrale, champ de guerre*, Autrement, 2002.

– *The Resurgence of Central Asia. Islam or Nationalism ?*, Zed Books (Londres), 1994.

RAOUF Wafik, *L'Europe vue par l'Islam*, L'Harmattan, 2000.

RAZEK Abd-el, *L'Islam et les fondements du pouvoir*, La Découverte, 1994.

REVEL Jean-François, *Le Terrorisme contre la démocratie*, Hachette, 1987.

Revue du Monde Musulman et de la Méditerranée, *Le Monde musulman à l'épreuve de la frontière*, Édisud, 1974.

RODINSON Maxime, *L'Islam politique et croyances*, Fayard, 1993.

ROY Olivier, *La Nouvelle Asie centrale ou la fabrication des nations*, Seuil, 1997.

– *Généalogie de l'islamisme*, Hachette, 1995.

SAHEBJAM Freidoune, *Le Vieux de la montagne*, Livre de Poche, 1995.

SCHEMLA Élisabeth et MESSAOUDI Khalida, *Une Algérienne debout*, Flammarion, 1995.

SFEIR Antoine, *Les Réseaux d'Allah*, Plon, 1997.

SHAYEGAN Daryush, *La lumière vient de l'Occident*, L'Aube, 2001.

SOS RACISME et UEJF, *Les Antifeujs,* Calmann-Lévy, 2001.

SIVAN Emmanuel, *Mythes politiques arabes*, Fayard, 1996.

TAGUIEFF Pierre-André, *La Nouvelle Judéophobie*, Mille et une Nuits, 2002.

TARNÉRO Jacques, *Les Terrorismes*, Milan, 1997.

TOUATI Amine, *Les Islamistes à l'assaut du pouvoir*, L'Harmattan, 1995.

TOURABI-AL Hassan (avec CHEVALÉRIAS Alain), *Islam, avenir du monde*, J.-C. Lattès, 1997.

Index

Postface

Cette postface est dédiée aux « Ni putes ni soumises ».

Nulle forfanterie dans le triste constat suivant : certaines des craintes énoncées dans cet ouvrage se sont révélées, à peine une année après sa parution, pour le moins justifiées.

À travers le monde, non seulement la pression populaire et sociétale des mouvements islamistes s'accentue dans les sociétés musulmanes, notamment sur les femmes (crimes d'honneur, mariages forcés, vitriolages de femmes court vêtues) et les minorités religieuses (chrétiens, juifs, animistes), mais les attentats terroristes perpétrés à l'encontre de civils et liés à Al-Qaïda se poursuivent : Bali, Mombassa, Djerba, Casablanca… Plus que jamais, l'islamisme radical constitue un fléau.

En France, en dépit d'une résistance remarquable de la grande majorité des citoyens – tout particulièrement des enseignants –, la complaisance à l'égard de l'islamisme laisse pantois, cruel paradoxe, au sein de cette famille politique dont je suis issu, la gauche républicaine, qui devrait s'attacher à la défense opiniâtre de la laïcité et de l'anti-sexisme, mais où l'on retrouve les attitudes les plus ambiguës et les moins responsables. Dans les manifestations en faveur de la paix au Proche-Orient depuis plusieurs années, dans les cortèges pacifistes de janvier/avril 2003 lors de la crise irakienne, des associations, syndicats et partis présents avaient toléré dans leur proximité immédiate, voire dans leurs rangs, des slogans, banderoles et comportements ouvertement – et violemment – islamistes. De manière plus feutrée mais plus irresponsable encore, une certaine gauche tiers-mondiste s'est intellectuellement acoquinée avec Tariq Ramadan, l'islamiste « soft » spécialiste du double langage, dont le frère Hani avait plaidé pour la lapidation des femmes (*Le Monde*, 9/9/2002) et le grand-père fondé en 1928 l'organisation extrémiste dite des Frères musulmans. Fort heureusement, des journalistes sérieux aux professeurs, de la Ligue de l'enseignement, des pouvoirs publics jusqu'aux cercles politiques, religieux et philosophiques, on a pris conscience ces derniers mois du péril que le discours d'un Ramadan constituait objectivement pour la laïcité. La justice elle-même a débouté le militant islamiste d'une procédure en diffamation intentée par lui contre le directeur de la rédaction des *Cahiers de l'Orient*, Antoine Sfeir, lequel avait précisément alerté sur l'influence néfaste de l'enseignement (l'endoctrinement ?) de Ramadan sur de jeunes musulmans fragiles ou crédules (Décision du Tribunal de Grande Instance de Lyon, confirmée en appel le 22 mai 2003, déboutant Tariq Ramadan contre Antoine Sfeir).

Par ailleurs, il convient de saluer, à gauche, les prises de position d'un Jack Lang reconnaissant courageusement qu'il eut tort de ne pas réagir fermement face au port du *hijab* (voile islamique) à l'école lorsqu'il était ministre, ainsi que le combat acharné d'un Malek Boutih, ex-président de SOS Racisme, en faveur de la laïcité et du respect entre citoyens. À droite, on appréciera la fermeté des maires de Bordeaux, Alain Juppé, et de Marseille, Jean-Claude Gaudin, devant les revendications d'ouvrir des créneaux horaires dans les piscines municipales réservés aux femmes musulmanes... Dans les deux camps, la progression de l'idée de légiférer sur l'interdiction du voile (et des autres signes distinctifs religieux prosélytes et/ou ostentatoires) à l'école et dans l'administration semble heureusement se confirmer de mois en mois.

Enfin, puisque ni le ridicule ni la calomnie ne tuent plus sous nos latitudes, je mentionnerai ici le géopolitologue du football Pascal Boniface qui, dans un pamphlet de méchante facture et truffé d'erreurs (ou y apprend entre autres perles que le grand philosophe Emmanuel Lévinas était physicien !), incrimina le présent ouvrage en m'accusant de chercher à *« montrer que la distinction entre musulmans modérés et radicaux n'existe pas, que l'islam est un problème en soi, qu'il génère automatiquement du terrorisme »*. Ma réponse publique à cette calomnie indigne d'un authentique chercheur figure en annexe. En fait, il ne lut du livre que la note de bas de page n° 5 figurant en page 23 de la précédente édition), où je rappelai et continue de rappeler que peu avant le 11 septembre, l'« expert » assurait qu'il n'y aurait plus de terrorisme de masse !... Refusant de conclure sur ce morceau de médiocre infamie, je propose au lecteur une série d'ouvrages sérieux et courageux liés directement ou indirectement au fléau islamiste (et à ses corollaires sexistes et racistes), parus entre l'été 2002 et l'été 2003.

Par les livres aussi, le combat se poursuit...

Arkoun Mohamed : *Islam et liberté*, Albin Michel, 2002.

Brenner Emmanuel : *Les Territoires perdus de la République*, Mille et une nuits, 2002.

Delacampagne Christian : *Islam et Occident, les raisons d'un conflit*, PUF, 2003.

Lévy Bernard-Henri : *Qui a tué Daniel Pearl ?*, Grasset, 2003.

Marchand Stéphane : *Arabie saoudite, la menace*, Fayard, 2003.

Sifaoui Mohamed : *Mes « frères » assassins*, Le Cherche-Midi, 2003.

Souad : *Brûlée vive,* Oh, 2003.

Tribalat M./Kaltenbach J.-H. : *La République et l'islam*, Gallimard, 2002.

Wolf Edith : *En réunion,* Grasset, 2003.

Annexe

Pascal Boniface : goût pour la calomnie
ou difficultés de lecture ?

Monsieur Boniface semble souffrir d'un certain manque de crédibilité depuis plusieurs mois. Et pour cause. Lui qui se considère injustement traité par certains de ses concitoyens emploie des méthodes qu'il dit réprouver.

Ainsi, dans un pamphlet truffé d'erreurs intitulé *Est-il permis de critiquer Israël ?* (Robert Laffont, 2003), Pascal Boniface m'accuse de « *montrer que la distinction entre musulmans modérés et radicaux n'existe pas, que l'islam est un problème en soi, qu'il génère automatiquement du terrorisme* » (p. 126).

Goût pour la calomnie ou difficultés de lecture ? Abjecte aux yeux de l'universitaire rigoureux autant que du citoyen responsable que je prétends incarner, sa saillie contredit mes engagements publics les plus reconnus et les plus vigoureux, salissant du même coup tous ceux qui m'invitent si souvent à établir précisément la distinction entre l'islam d'une part, le fléau de l'islamisme radical d'autre part : journalistes, professeurs d'instituts universitaires de formation des maîtres, proviseurs de lycées « difficiles », responsables de cercles militaires et diplomatiques, animateurs de mouvements associatifs, syndicalistes étudiants, jeunes chercheurs en sciences sociales, maîtres de loges maçonniques républicaines, directeurs scientifiques de festivals d'histoire et/ou de géographie, etc.

Mon... amalgame délibéré aurait par ailleurs échappé à des personnalités peu soupçonnables de le tolérer et qui, de Thierry de Montbrial à Dalil Boubakeur, de Max Gallo à Latifa ben Mansour, d'Yves Lacoste à Malek Chebel, Ady Steg ou encore François Thual, m'ont chaudement félicité publiquement et/ou par écrit pour la publication de mon ouvrage sur l'islamisme. C'est du reste précisément à la lecture de nombreux passages de ma *Géopolitique de l'Apocalypse* (Flammarion, 2002) que l'accusation de Monsieur Boniface devient ridicule autant que diffamatoire. Qu'on en juge plutôt :

– « *À l'instar des fascisme et stalinisme de naguère, il* [ce nouveau totalitarisme qu'est l'islamisme radical] *doit être pourfendu, sans amalgame avec la pratique tradition-nelle et pacifique de l'islam, mais sans faux-fuyants ni com-plaisance [...]. Et pour des millions de musulmans d'Orient ou d'Occident qui refusent l'obscurantisme, c'est affaire de sauvegarde...* » (p. 18-19) ;

– « *Les islamistes radicaux de sa veine* [Ben Laden] *ont déjà expédié* ad patres *bien trop de musulmans [...] pour qu'on puisse encore prendre acte de leur volonté d'en défendre d'autres. Sauf à considérer – et je n'en suis pas loin – qu'en définitive les islamistes radicaux interdisent aux non-musul-*

mans de brimer les musulmans qu'eux seuls revendiquent le droit – comme en Algérie – d'occire ! » (p. 51-52) ;

– « *Tuer ou opprimer des musulmans n'est plus une spécialité de l'occident depuis longtemps ; c'est au contraire une "activité" devenue l'apanage d'autres musulmans, et tout particulièrement des islamistes* » (p. 133) ;

– « *La France se trouve en première ligne du combat à mener contre l'islamisme. Plusieurs millions de citoyens musulmans – la plupart d'origine arabe – constituent des cibles extrêmement intéressantes pour une propagande locale ou en provenance de l'étranger sans cesse plus active* » (p. 157) ;

– « *En France, l'ordre calamiteux consisterait à substituer un affreux "Vigiarabe" au plan Vigipirate. Tous les Ben Laden auraient alors gagné la première manche dans leur tentative d'instaurer une guerre des civilisations. Mais le pire ne serait-il pas d'abandonner, en amont, les forces démocratiques qui luttent au sein des sociétés musulmanes en proie à la menace et, en aval, les musulmans de France qui rejettent l'islamisme ?* » (p. 189)…

Et je m'ingénierais à confondre islam et islamisme radical ? De deux choses l'une : soit Monsieur Boniface est un odieux individu cherchant à jeter l'opprobre sur un autre chercheur-enseignant en géopolitique (dont il craint peut-être la rivalité intellectuelle ?) par la calomnie – mais je n'ose le croire –, soit il n'a pas lu un traître mot de mon ouvrage par lui pourtant mentionné, ni entendu la moindre de mes interventions publiques sur le sujet. Je pencherais d'autant plus pour cette seconde solution qu'il orthographie mal des personnalités dont il critique le livre ou l'action (« Hallali » p. 213 ; « Zimmeray » p. 190 ; etc.). Je ne saurais donc trop lui conseiller de consacrer davantage de soin à la lecture ; ainsi évitera-t-il peut-être à l'avenir non seulement de blesser inutilement des concitoyens authentiquement respectueux de l'islam, mais encore d'accoler au grand philosophe Emmanuel Lévinas (en p. 95) la fonction de… physicien !

Table

210 Géopolitique de l'apocalypse

Deuxième partie
LA GUERRE ÉTATS-UNIS/AL-QAÏDA

A. Les objectifs 65
1. Al-Qaïda : l'Apocalypse 66
2. États-Unis : le maintien de la suprématie 72

B. Les stratégies 76
1. Le chaos, le pétrole, le nucléaire : Al-Qaïda..... 76
2. Une erreur stratégique depuis vingt ans ? Les
États-Unis 83

C. Les tactiques 91
1. Le fort au faible 91
2. Le fou au fort..................................... 98
3. Erreurs parallèles de perception.................. 100

D. Les enseignements de la campagne afghane et le
1. Enseignements militaires 108
2. Enseignements géostratégiques 110
3. Le très grand jeu 112
4. L'« axe du mal », morceau de pragmatisme 118

Troisième partie
NOTRE DÉMOCRATIE FACE
AU TROISIÈME TOTALITARISME

A. Les Américains sont-ils vraiment trop méchants ?.. 125
1. Imposture au service de l'américanophobie..... 127
2. Les mécanismes de la détestation 130
3. Le procès de l'hyperpuissance 137

Table   211

SCIENCES

HISTOIRE

BIOGRAPHIES

Achevé d'imprimer en septembre 2003
sur les presses de l'imprimerie Maury Eurolivres
45300 Manchecourt

N° d'éditeur : FH006604.
Dépôt légal : septembre 2003.
N° d'impression : 03/09/20901.

Imprimé en France